高等职业教育
高质量发展研究

郭　佳◎著

燕山大学出版社
·秦皇岛·

图书在版编目（CIP）数据

高等职业教育高质量发展研究 / 郭佳著 . -- 秦皇岛 :
燕山大学出版社， 2025. 6. -- ISBN 978-7-5761-0891-0

Ⅰ . G718.5

中国国家版本馆 CIP 数据核字第 2025MR9707 号

高等职业教育高质量发展研究

GAODENG ZHIYE JIAOYU GAOZHILIANG FAZHAN YANJIU

郭 佳 著

出 版 人：	陈 玉		
责任编辑：	刘馨泽	**策划编辑：**	刘馨泽
责任印制：	吴 波	**封面设计：**	吴 波
出版发行：	燕山大学出版社	**电　　话：**	0335-8387555
地　　址：	河北省秦皇岛市河北大街西段 438 号	**邮政编码：**	066004
印　　刷：	涿州市般润文化传播有限公司	**经　　销：**	全国新华书店

开　　本：	710 mm × 1000 mm　1/16	**印　　张：**	10.75
版　　次：	2025 年 6 月第 1 版	**印　　次：**	2025 年 6 月第 1 次印刷
书　　号：	ISBN 978-7-5761-0891-0	**字　　数：**	192 千字
定　　价：	52.00 元		

作者简介

郭佳，女，武汉职业技术大学讲师，博士毕业于武汉大学法语语言文学专业，研究方向为法国文学、法国社会与文化、职业教育等，发表学术论文十余篇、专著一部，曾获得全国职业院校外语微课优秀作品征集与交流活动湖北省一等奖、二等奖，职业院校外语微课优秀作品征集与交流活动湖北省二等奖等荣誉。

前　言

近年来，高职院校占据我国高等教育的“半壁江山”，虽然教育界和学术界对日趋重要的高等职业教育至今还存在不同的认识，但我们还是倾向于其是高中后的职业教育或者说高中阶段后职业教育的衔接与延伸，或者更明确地说，是在高中文化基础上，培养生产、建设、管理、服务第一线具备综合职业能力和较全面素质的高等技术技能人才或职业化专门人才。高等职业教育是我国高等教育的重要组成部分，但又需要与普通高等教育相区别；高等职业教育是我国职业教育的重要层次，但又区别于一般意义上的培训和技能学习。高等职业教育具有高教性和职教性的双重属性，在推动和促进其科学发展进程中，必须正确合理定位。

随着我国经济社会发展进入新时代，职业教育领域的改革发展也面临新机遇和新挑战，需要高职院校以敏锐的时代眼光及时捕捉外部经济社会的变革，适时调整自身与外部之间的关系，形成高职院校内外之间的有效互动。高职教育高质量发展是提高自身竞争力和满足人民群众对职业教育价值诉求的根本保证，教育部门要深化现代职业教育体系建设改革，让高等职业教育在高质量发展中发挥主体作用。高等职业教育的高质量发展包括质量导向、标准引领、主体多元和成果彰显等四个方面的内涵。本书在阐释高等职业教育高质量发展的必要性和可行性基础上，从外部和内部两个角度剖析了影响我国高等职业教育高质量发展的因素，提出高等职业教育高质量发展的主要对策：坚持目标导向，发挥标准引领作用；提升要素质量，夯实内涵发展基础；做实产教融合，实现协同育人；强化教学中心，把教师队伍建设作为基础工作；关爱学生成长成才，服务学生发展，促进学生就业等。

本书对高职教育高质量发展的前提、基础、关键与建设进行了深入探索，提出了有针对性的实践进路，期望能够促进职业教育跨越式发展。同时，本书针对创业教育深入探究，在“双高”背景与不同视域下进一步完善高职教育高质量发展治理体系，提升治理能力，为高职教育高质量发展提供保障。

CONTENTS

目录

第一章　高职教育高质量发展的前提

第一节　合理定位

一、高职教育的发展阶段

关于高等职业教育的历史,学术界和教育界的认识较为一致,即我国高等职业教育的发展是与改革开放同步的。一般而言,我国当代高等职业教育的发展可分为五个重要阶段，即创建与探索阶段（1980—1993 年）、调整与规范阶段（1994—1998 年）、规模与扩张阶段（1999—2005 年）、示范与改革阶段（2006—2010 年）和转型与创新阶段（2010 年至今）。

（一）创建与探索阶段（1980—1993 年）

邓小平同志早在 1978 年 4 月就指出：“整个教育事业必须同国民经济发展的要求相适应，应该考虑各级各类学校发展的比例，特别是扩大农业中学、技工学校的比例。”但坦率地说，就我国高等职业教育发展而言，基本上走的是一条办学实践先于政策引导、地方行动快于教育部部署的试办之路。根据陈英杰的回顾，我国第一所高职院校——金陵职业大学是由南京市在 1980 年 8 月 27 日创办的，1980 年 8 月 29 日《人民日报》对此做了报道，全国各大报刊相继转载，从此翻开了中国高等职业教育的新篇章。1982 年，全国人大五届五次会议指出：“要试办一些花钱少、见效快、不收学费、学生尽可能走读、毕业生择优录用的专科学校和职业大学。”此时，江苏省高职院校已有 4 所，在接下来的一段时间里，基本上是政策引导与办学实践交织在一起，逐步形成了地方举办、扩展全国、以短期职业大学为主的高等职业教育格局。[①]

① 周金堂.高等职业教育创新发展的理论与实践探索 [M].北京:社会科学文献出版社,2017.

（二）调整与规范阶段（1994—1998 年）

这一阶段，我国的高等职业教育首先面临着所谓“分流”的挑战，甚至上升到了教育部（国家教委）部署的高度。在此期间，高等职业技术教育战线的同志们做了积极努力的工作，使得高等职业教育在此后得以真正确立。1993 年，中共中央、国务院颁布了《中国教育改革和发展纲要》，明确指出“职业技术教育是现代教育的重要组成部分——各地要积极发展多样化的高中后教育，对于升入高等学校的普通高中毕业生进行职业技术培训”。1994 年国务院印发《关于〈中国教育改革和发展纲要〉的实施意见》时重申，要“积极发展多样化的高中后职业教育和培训，通过改革现有高等专科学校、职业大学和成人高校以及举办灵活多样的高等职业班等途径，积极发展高等职业教育”，这就是所谓的“三改”，后来再加上“仍不满足时，经批准利用少数具备条件的重点中等专业学校改制或举办高等职业教育班等方式来补充”，俗称“三改一补”。此后又进一步调整明确，今后职业大学不再改名高等专科学校，至此，关于高等职业教育的定位基本明确，即高等职业教育是在高中阶段教育基础上实施的职业教育，它是职业教育的高层次，是高等教育的组成部分，我国需要发展高等职业教育。1996 年国家颁布了《中华人民共和国职业教育法》，更直接规定，职业学校教育分为初等、中等、高等职业学校教育，高等职业学校教育根据需要和条件由高等职业学校实施，或者由普通高等学校实施。1998 年《中华人民共和国高等教育法》也明确规定：“本法所称高等院校是指大学、独立设置的学院和高等专科学校，其中包括高等职业学校和成人高等学校。”至此，我国高等职业教育真正在高等教育中确立了自己的政策和法律双重地位和身份。

（三）规模与扩张阶段（1999—2005 年）

在我国高等职业教育发展史上，1999 年是非常重要的一年，其中的“六个一”，即“一个决策、一个计划、一个决定、一个意见、一个委员会、一个制度”，奠定了我国高等职业教育规模扩张和大发展的基础。“一个决策”，就是国家做出了推进高等教育大众化的重要决策，其中大力发展高等职业教育是重要内容之一。“一个计划”，就是国务院批转教育部制定的《面向 21 世纪教育振兴行动计划》，该计划强调了发展高等职业教育的重要性，认为“积极发展高等职业教育是提高国民科技文化素质，推进就业以及发展国民经济的迫切需要”。“一个决定”，就是在 1999 年 6 月召开的第三次全国教育工作会议上颁布的《中共中央国务院关于深化教育改革，全面推进素质教育的决定》，该决定明确提出，要大力发展高等职业教育。“一个意见”，就是教育部和国家计委联合颁发的《试行按新的管理模式和运行机制举办高等职业技术教育的实施意见》，该意见鼓励多渠道、更大规模举办职业技术教育。“一个委员会”，就是教育部成立了全国高职高专人才培养工作委员会，负责制定基本文件，加强规划及组织科研等工作。当然，更为重要的是“一个制度”，即教育部制定了授权省区市人民政府审批专科层次高等院校审批权的制度，并统一名称为“××职业（技术）学院”。到 2004 年教育部下达的《关于以就业为导向，深化高等职业教育改革的若干意见》，不仅统一了高等职业教育这个称谓，而且明确了高等职业教育特色发展的方向，即以服务为宗旨、以就业为导向、走产学研相结合的发展道路，培养社会主义现代化生产建设管理服务第一线的高素质技能人才。其间，评估工作全面启动，高等职业教育进一步走上规范发展之路。

（四）示范与改革阶段（2006—2010 年）

2006 年，注定是我国高等职业教育发展中极为重要的一年，其从面上和点上对高等职业教育做了重大决策部署。从面上看，教育部下发了《关于全面提高高等职业教育教学质量的若干意见》，该意见明确了高等职业教育是高等教育的一个类型，强调了提高质量的重要性和路径，特别是关于校企合作、工学结合的人才培养模式改革，以及以专业建设为龙头、半年顶岗实习等理念迄今仍深入人心。从点上看，教育部、财政部为贯彻《国务院关于大力发展职业教育的决定》，启动实施了“国家示范性高等职业院校建设计划”，发布了《教育部财政部关于实施国家示范性高等职业院校建设计划加快高等职业教育改革与发展的意见》，围绕提高示范院校整体水平、推进教学建设和教学改革、加强重点专业领域建设、增强社会服务能力、创建共享型专业教学资源库等方面，在全国遴选 100 所“五领先”（领导能力、综合水平、教育教学改革、专业建设、社会服务领先）的学校进行重点建设，成为高职教育领域改革的示范、管理的示范和发展的示范，引领高等职业教育创新发展。之后，国家骨干高职、省示范等项目相继实施，高等职业教育得到大发展，并持续升温。

（五）转型与创新阶段（2010 年至今）

2010 年，也注定是影响我国高等职业教育转型定位和创新发展的重要年份，党中央、国务院召开了全国教育工作会议，颁发了《国家中长期教育改革和发展规划纲要（2010—2020 年）》，其中明确提出，到 2020 年要形成“适应发展需求、产教深度融合、中职高职衔接、职业教育与普通教育相互沟通”，体现终身教育理念，具有中国特色、世界水平的现代职业教育体系。为此，教育部决定将高职高专处从高教司划给职业教育与成人教育司管理，以后又更名为高职发展处。2014 年，国务院召开职业教育工作会议，颁发了《国务院关于加快发展现代职业教育的决定》和《现代职业教育体系建设规划（2014—2020 年）》，进一步强调了现代职业教育体系建设，阐述了高等职业教育在现代职业教育体系中的重要地位。教育部也出台了一系列举措，推动职业教育创新发展、提高质量，推动中职高职衔接和现代职业教育体系建设，尤其是《高等职业教育创新发展行动计划（2015—2018 年）》的实施，对我国特色现代高等职业教育的发展起到了巨大的推动作用。相应地，高等职业教育增添了更多职业教育的成分和色彩。

纵观我国高等职业教育多年来不平凡的曲折发展史，其法律和政策地位有一个确立的过程，对其属性有一个认识和理解的过程，但高教性与职教性的双重属性是其最基本的特征，只是在发展的不同阶段，其属性各有侧重。1998—2011 年，其高教性色彩更重一些；从 2011 年开始，其职教性因子更明显一些。或者说，从当前和长期的趋势看，基于现代职教体系建设或者基于职业教育的高等职业教育是一个总特征、总趋势、总概括。

二、高职教育的总要求

党的十八大以来，以习近平同志为核心的党中央提出了治国理政的新理念新思想新战略，提出了必须坚持中国特色社会主义道路自信、理论自信、制度自信、文化自信四个自信，必须统筹推进全面建成小康社会、全面深化改革、全面依法治国、全面从严治党四个全面战略布局，必须增强政治意识、大局意识、核心意识、看齐意识四个意识，高等教育战线必须切实贯彻落实；对发展中国高等教育也提出了一系列重要指示，并在不同时期、不同场合发表了许多重要指示，对高等学校的总体定位、党的建设、教师队伍建设、学生思想政治教育，对贯彻全员、全方位、全过程育人都提出了明确的要求，高等职业教育作为高等教育的重要组成部分和重要类型，必须认真抓好落实。

（一）正确把握习近平总书记对高等教育的总要求，落实四个服务

习近平总书记指出，高等教育是一种社会存在，不同社会制度决定着不同的教育发展方向，我国高等教育发展方向要同我国发展的现实目标和努力方向紧密联系在一起，为人民服务、为中国共产党治国理政服务、为巩固和发展中国特色社会主义制度服务、为改革开放和社会主义现代化建设服务，脱离了这个最大实际，高等教育失去了根本，就很难办好。总书记这一论述带有根本性和大局性：为人民服务是高等教育办学宗旨，这与总书记一贯倡导和坚持以人民为中心的发展思想是高度一致的；为中国共产党治国理政服务是由我国高等教育的职能和使命决定的，也是中国共产党长期执政的基本要求，表明高校的领导体制必须与党和国家的整体体制高度一致；为巩固和发展中国特色社会主义制度服务，表明了我国高等教育人才培养工作的直接目的，也体现了我们坚定不移走中国特色社会主义道路，坚持和发展中国特色社会主义的要求，更要求当代大学生必须坚持对中国特色社会主义道路自信、理论自信、制度自信和文化自信，为改革开放和社会主义现代化建设服务，这是我党的中心工作，表明高等学校必须围绕中心、服务大局，以人才培养、科学研究、社会服务、文化传承与创新及国际交流合作等工作，推动改革和为社会主义现代化服务。

（二）正确把握习近平总书记对坚持社会主义办学方向的要求，做到四个坚持不懈

办学的方向看起来简单明了，或者说在中国共产党领导下建设社会主义中国已经 70 多年，尤其是经过了改革开放 40 多年的实践，办学的方向问题已经解决。其实不然，事实上，在事关办学方向的许多具体问题上，我们确实还存在不少问题和挑战。在一些高校中，“言必称西方”、教材用国外原版等情况相当普遍，马克思主义被边缘化情况也不是个别现象，对于社会主义核心价值观的冲击也还不小，高校在和谐稳定上面临的挑战也十分突出，我们必须从具体的问题上着力解决好办学的社会主义方向问题。

第一，坚持不懈传播马克思主义科学理论。习近平总书记指出，马克思主义在中国的传播最早是在高校知识分子、青年学生中进行的，陈独秀、李大钊、李达等中国早期马克思主义者都把高校作为阵地，在历史和人民的选择中，马克思

主义成为我们立党立国的根本指导思想，也是我国高校的鲜亮底色。马克思主义是科学理论，具有强大真理力量，它指导我们找到了我国革命、建设、改革的正确道路，给我国社会带来深刻变革，给中国人民带来巨大福祉。正因为这样，高校要把加强马克思主义学习研究宣传作为重要职责，让马克思主义主旋律唱得更亮，继续为推进马克思主义中国化、时代化、大众化作出重要贡献。

第二，坚持不懈培育和弘扬社会主义核心价值观。将社会主义核心价值观贯穿教书育人全过程是高校坚持社会主义办学方向的核心要求和关键举措，也是高校思想政治工作的使命所在。因为社会主义核心价值观是当代中国精神的集中体现，培育和弘扬社会主义核心价值观，有利于增强中国特色社会主义道路自信、理论自信、制度自信、文化自信。因此，我们必须把社会主义核心价值观贯穿于办学育人全过程，弘扬以爱国主义为核心的民族精神，以改革创新为核心的时代精神，并加强中华优秀传统文化、革命文化和社会主义先进文化教育，加强党史、新中国史、改革开放史、社会主义发展史教育，加强国家意识、法治意识、社会责任意识教育和民族团结进步教育、国家安全教育、科学精神教育。

第三，坚持不懈促进高校和谐稳定。习近平总书记强调，我们要从国家政治安全和意识形态安全的高度，认清维护高校和谐稳定的重大意义，把高校建设成为安定团结的模范之地。具体地说，一是要秉持尊重差异、包容多样的态度，在多元中立主导、在多样中谋共识、在多变中定方向，让一切有益思想文化的涓涓细流汇入意识形态的浩瀚大海。同时要注意辨析甄别、过滤净化，加强管理、保持警惕、有效防范。二是要培育理性平和的健康心态，引导教师静心从教、学生静心学习，引导师生正确认识义和利、群和己、成和败、得和失，不断提升心理健康素质。

第四，坚持不懈培育优良校风和学风。习近平总书记指出，校风和学风如何，既影响和决定着高校的人才培养质量，也反映和体现着高校思想政治工作的水平和成效，高校思想政治工作是基于高校而存在的。正因为这样，培育优良校风和学风，是高校办学方向的直接和重要的体现，要引导学生把学习作为主要任务，使学习过程成为锤炼心态的过程，高校思想政治工作必须同鼓励学生端正学风、严谨治学统一起来，让学生在刻苦学习中树立科学精神，锤炼品行情操。

第二节　科学先进的办学理念

经过多年的发展，我国高等职业教育的规模扩张和外延发展已不再是主要任务，内涵建设和提高质量应该成为工作重点，特别是经过 10 多年来示范高职院校、骨干高职院校等建设规划的引领，运用科学先进的办学和育人理念，促进和推动高水平建设的思想已经基本统一，树立什么样的理念，怎样去办学校，事实上已经成为高水平学校建设的重要内容之一，甚至具有决定性意义。

一、科学先进的办学理念的重要性

一般而言，学校领导和师生员工都希望努力办一所好学校。但是，好学校是什么样的？应该用什么样的理念引领学校发展？科学先进的办学理念究竟有什么作用？这些问题看似已有共识，实则远非如此。

（一）理念是什么

《辞海》对理念一词的解释有两条：一是指看法、思想、思维活动的结果；二是指观念，通常指思想。观念上升到理性高度则称为理念。作为观念上升到理性高度的结果，理念一般具有以下特点：一是区域性，即每一种理念都有自己的局限和适应范围；二是概括性，指人们对现象有了一定的认知，概括性越高，说明认知越丰富；三是间接性，即理念是指凭借语言对客观现象进行诠释；四是客观性，即我们要对客观现象的本质或特征有整体性的诠释；五是逻辑性，即诠释现象的信息内容，反映出理念是一种抽象的理论认识，遵循着一定的规律，有一定的形式，并按一定的方法来进行；六是深刻性，即理念是经过人类的思考活动，进行过信息的加工——去粗取精，去伪存真。正因为这样，观念不一定是理念，思想不一定是理念，观念和思想上升并升华到一定高度才称得上理念。

（二）科学先进的办学理念的重要性

人们的行为不应该是盲目的，而往往是由理念指引的，理念对过去是经验总结，对将来是行动纲领；对内部便于统一认识，对外部具有昭示和宣传功能。正因为这样，无论是大到治国还是小到处理一件事情，事实上都需要理念，没有理念相当于没有统帅行为和行动的思想，工作往往具有盲目性，各个部门、各个环节也不容易统一和协同，只有形成统一的理念才会使行动更加有序和有效。对过去是经验总结，今天的理念往往是在实践基础上，将比较成功而有效的经验保留下来；对将来是行动纲领，即工作下一步怎么做、怎么协调，按理念指引；对内便于统一思想，即在分工协作的情形下，依靠统一的理念来协同工作；对外具有宣传功能，就是我们的工作怎么做就靠理念来展示，办什么样的学校、怎样办学等都可以在其中。①

（三）高职教育对最基本的理念必须认同

高等职业教育既具高教性，又具职教性，作为高教性和职教性的统一体，经过多年的探索和实践，我们基本可以形成如下共识：以服务为宗旨、以就业为导向、走产学研相结合的发展道路，为社会主义建设培养下得去、用得上、留得住的高素质技术人才。根据这一基本理念，在具体的办学实践中，各个学校都在进行探索，如浙江金融职业学院提出践行“特色鲜明、人民满意、师生幸福”的办学宗旨，构建“行业、校友、集团共生态”的办学模式，确立“做学生欢迎之师、创社会满意之校、育时代有用之才”的价值观念，同时根据高等职业教育的特点和学校自身情况，确立传承金融历史、服务地方经济、培养实用人才的办学定位，进而到确立“共建共享幸福金院、永创永续金融黄埔”的愿景，也是办学理念的具体化，提出全面建设更高品质的幸福金院则是目标和理念的进一步具体化。

二、重视办学三大主体是最基础的理念

要办一个好的高职院校，必须研究办学主体的功能和作用。我们从实践中认识到，办好一所高职院校，必须坚持以学生为本、以教师为基、以校友为宗，在此基础上打造教师、学生、校友发展共同体。

（一）以学生为本

以学生为本是以人为本理念在办学中的具体实践和表现。以学生为本说起来比较容易，做起来却比较困难，追求高水平、高品质的学校，必须牢牢把握这一点。从学校建设发展逻辑关系看，因为要培养学生，才需要建设学校，需要选拔、培养教师，培养学生的需要成为办学的出发点和落脚点。对此，我们必须有充分

① 周建松．高等职业教育高质量发展研究 [M]. 杭州：浙江大学出版社，2020.

而且清醒的认识，要把这一理念落到实处，就必须有载体、有行动方略。例如，浙江金融职业学院这些年在实践中，以设立爱生节（每年5月23日为爱生节，11月23日为深化爱生节）为载体，在全校上下确立爱生理念、培育爱生文化，并以实施学生“千日成长”工程为抓手推进以生为本理念的落实。“千日成长”工程就是把高职学生从入学到毕业大约1000天时间精心设计为一个工程，以全程育人为引导，辅之以全面育人、全方位育人，面向全体学生育人、全体教师参与育人，营造全方位环境育人。具体划分为：一年级金院学子，强调懂做人；二年级系部学友，强调精专业；三年级行业学徒，强调会做事。在实践工作中，全校积极构建关爱学生进步、关注学生困难、关心学生就业的“三关”工作体系。以生为本理念具体化，又通过行为规范要求，科学设计和实施专业人才培养方案，通过素质教育与专业教育的有机融合，通过“四个化”（即品德优化、专业深化、行为美化、技能强化）和具体的考核激励将学生教育培养落到实处。

（二）以教师为基

高校要想有品质、有水平，必须牢固树立全心全意依靠全体教师的理念，落实“尊重教师个性、倚重教师德才、注重教师发展的要求”，真正做到“关心人、爱护人、帮助人”。一是要确立教师在学校的真正的主人翁地位，尊重教师、珍爱博士、关心青年、厚待教授，切实提高教师在学校政治和社会生活中的地位。二是要花大力气、用大工程致力于培养和造就一支高素质高水平教师队伍，正确处理好培养、提高、充实、引进的关系，立足于把现有教师队伍打造好。三是要以物质和精神相结合的方式重视教师队伍激励，既要为教师提供更多更丰厚的物质待遇，又要为教师创造更多的成名成家的平台、舞台和展台。四是要研究好教职工激励机制，充分利用各种条件和可能，建立青年教师培养与成长的金翅膀机制、中年教师稳定与发展的金台阶机制、老年教师幸福与安康的金色降落伞机制，从而进一步激励教师忠于职守、教书育人，促进教师千帆竞发，努力提高师德师风和教育教学水平，促进人才培养质量的持续提高。在这一过程中，学校还应当采取科学有效措施，致力于培养好高水平专业带头人和学术学科带头人，为教师发展起领航作用。

（三）以校友为宗

关于校友在学校建设发展和治理中的地位和作用问题，至今尚没有引起足够的重视。世界上凡成功的学校无不具有一大批高忠诚度、高质量的校友，而彰显学校人才培养质量也是靠着一大批优秀校友。因此，就群众观点而言，校友是最广泛的群众。一所有历史、有规模的学校，如果连它的校友体系都没有建立起来，连自己的校友都不认母校，那肯定不能认为这所学校具有高水平，也很难具有可持续发展能力。因此，高水平的学校在办学理念上必须确立以校友为宗的理念，自觉地把校友纳入学校发展系统和力量之中。高职院校一般都强调产教融合、校企合作，强调重视和加强兼职教师队伍建设。那么，我们同时也认为，校友是联络产教融合、校企合作的重要纽带，是校企合作的重要伙伴，也是兼职教师的重要来源，而且，这样做更有利于学校文化传承创新，更好地履行职责。在工作的实践中，我们还必须认识到：校友是人心，需要去汇聚；校友是力量，需要去积聚；校友是资源，需要去开发；校友是平台，需要去搭建；校友是桥梁，需要去架设；校友是事业，需要去开拓；校友是财富，需要去积累；校友是文化，需要去弘扬。在工作战略上，我们要想办法申请设立法人性质的校友会组织，并在具体工作中做到激扬高层、激发中层、激活基层、激励全体，努力推进校友“会同学、看老师、回母校、共发展”四位一体的统一。

（四）精心打造教师、学生、校友发展共同体

一所学校既是一个事业单位，同时也是一个发展系统；学校既要重视学生、教师、校友三大主体建设，也要建立有效的机制，推动教师、学生、校友三方互动，努力构建以母校为轴心和圆心的教师、学生、校友发展共同体。例如，浙江金融职业学院以“共建共享幸福金院，永创永续金融黄埔”为愿景，以“凝聚海内外校友力量，建设高品质幸福金院”为抓手，以“有缘描绘校友美好人生，有缘描绘母校美好前景，有缘描绘祖国美好未来”为动力。共同体正在建设之中，为母校打造百年品牌、建设品质学府形成了强大正能量。笔者认为，以学生为本、教师为基、校友为宗理念的确立和实践，以及在此基础上对教师、学生、校友共同体建设的重视，是高水平学校重要的基础性理念。

第三节　高职教育发展趋势与对策选择

一、高等教育发展趋势及特点

2015 年 5 月，联合国教科文组织召开了世界教育论坛，来自 100 多个国家和地区的 1500 多名代表共同参与会议，并共同将全球教育 2030 年的发展愿景概括为“迈向全面、公平、有质量的教育和全民终身学习”。联系我国高等教育发展的情况，我们大致可预判未来几年我国高等教育的发展趋势与特征。

（一）普及化

据联合国教科文组织统计，二战后世界大学生数量为 650 万人，20 世纪 70 年代为 2810 万人，到 20 世纪 90 年代为 6860 万人，20 世纪末发展为 8820 万人；进入 21 世纪以来，世界大学生数量还在持续增长，乐观估计到 2030 年世界大学生数量可能达到 4 亿人左右。从我国高等教育的情况看，从世纪之交提出推进高等教育大众化，大力发展高等职业教育，鼓励以民办机制发展高等教育政策以来，我国高等教育规模和高等学校数量均迅速扩张和增加。按这样的发展速度，预计到 2030 年，我国高等教育全面实现普及化已是不争的趋势。

（二）多样化

与普及化的大趋势相对应，多样化就成为一个必然的趋势和要求，因为普及化本身不仅表现为逐步扩大的数量和规模，还标志着高等教育系统在价值、功能、结构、标准、过程、评价、治理等方面越来越呈现出多样化的特征。在高等教育精英化阶段，只有少数人享有接受高等教育的机会；而进入高等教育大众化阶段后，为了满足经济社会发展对各类型高层次人才的需要，接受高等教育成为一种普遍的权利，在部分发达国家甚至成为国民的一项基本义务，这为全体国民适应社会与技术的快速变革和个体的多样化、个性化发展做好了准备。正是从这个意义上，接受高等教育的社会功能、个体功能都在发展变化，必须满足多样化需求的要求。就我国的情形看，教育从精英阶段到大众化再到普及阶段，必然有一个从纯粹学历教育的阶段进入为适应社会和技术变化需求而学习的阶段，这也正是各类型高等教育存在和发展的理由。①

（三）个性化

高等教育的质量观必然从急需到适需，多样化是满足需求和实现适需的总体要求，而个性化则是实现规模扩张和满足个性需要的质量要求。根据美国教育学者马丁·特罗的理论，大众高等教育与普及高等教育的区别在于教育普及程度和受众范围。普及高等教育不在于注册人数，而在于参与和分享，即涵盖了社会大部分人的继续教育。普及高等教育不完全依赖传统的学院或大学校园，而是通过远程教育的方式进行；大多数学生的学习，并不是为了追求学位或学分，而是为了保持或改善其在就业市场上的地位或者纯粹是为了兴趣爱好，也即个体需求的最大最好满足是高等教育的重要原则。笔者认为，世界范围内的这一趋势，也非常适合我国今后的情形。

二、高职教育面临挑战的应对之道

我们认识和分析高等教育现代化和今后发展的趋势，分析今后高职院校面临的挑战，是要研究和分析我们的出路，从而少走弯路，防止走上歧途，努力实现又好又快的可持续发展。据此，笔者认为，下列政策值得重视。

（一）全社会要形成新的发展共识

全社会的共识和价值观念以及总体性应对政策是十分重要的，这些共识和观念伴随着高等教育普及化、多样化、个体化趋势，而这一趋势为全世界所见，中国也不会例外。传统的精英教育教学模式、基于大众化的培养方式和学校组织运行机制也会迎来新的挑战。现阶段，为适应高等教育普及化的形势，在城市郊区新建一个大学城的教学布局也会带来矛盾。因此，从宏观上看，高等教育与城市经济社会的关系，从空间上必须你中有我、我中有你，从时间上必须相互联系、相辅相成，以至于从政府的管理模式和方法上，必须增强灵活性，如简单地以生均拨款作为财政资金的投入模式、把培训和继续教育当作业务创收的管理模式相应地都要改变。

① 周建松．现代职业教育体系建设与高职教育创新发展 [M]. 杭州：浙江工商大学出版社，2017.

（二）高职院校必须建立更具综合性的发展观

高职教育兼具高教和职教的双重属性，既应有面向适龄青年的学历教育，也应有适应成年人转岗发展的继续学历教育。同时，高职教育具有适应社会技术变化和经济社会发展的短期培训，还应有满足人们休闲娱乐和高质量生活的文化体育性活动。也就是说，高职教育可以把高教性与职教性完整地统一于一体，为社会、为行业、为区域、为个人提供立体化、多样化的高等教育及其相关的服务。培训活动等不再是补充，而应该是重要组成部分和主体之一，学校的每一个院系都应该按照专业承担综合性职责，全面履行高等教育的职能，形成强大的有生存发展能力的系统和集团，以更好地适应和满足社会、行业、区域和个人发展的需要。为此，高职院校要认真研究和大力扩大非学历岗位和职业培训，以促进社会发展。

（三）高职院校要改变学校形态和生态

当前的高职院校大多是在精英教育理念指导下建立起来的，虽然按照大众化和高教性与职教性双重属性的要求在形态和办学结构上有所创新，但是承担教学和管理的教师、职员基本上也是传统的精英教育的成果。这本身不是一件坏事，但必然会受到许多限制，如一个学校的空间布局，教学楼宇的格局安排，一个学校的工作时间安排、教学周期安排等，往往有同质化乃至千篇一律的倾向。为适应和满足未来高职教育的新变化、新趋势，各学校必须从现在开始对学校的形态进行研究和改造，争取更加灵活的方式，尤其是在互联网、物联网逐渐改变教学形式的情况下，有些基础性的教学设施，必须有提前预案，留有发展余地和可能性。

（四）着力规划和建设一支新型教师队伍

虽然当前高职院校师资队伍总体是好的，但采用纯粹的事业单位属性、准公务员管理模式，已不能适应社会对高职教育的需求，将来会失去竞争力，这不仅会影响学校生存，而且会影响学校发展。新构建的师资队伍必须做到：第一，专职与兼职相结合，在保持一定数量和比例的专任教师的同时，要加大步伐注意培养和聘请行业、企业、社会兼职教师，特别是要发挥各类校友的作用。第二，理论型与实务型相结合，在继续重视理论型教师队伍建设的同时，必须着力根据区域、行业、企业和技术变化的要求培养和凝聚一大批实务型教师，提高教师队伍解决实际问题的能力，以更好地满足人们接受高等教育对追求和实现高质量生活和发展的需求。第三，坚持教师理论学习与实践提高相结合。也就是说，必须建立起教师的进修指导和培养培训制度，教师不仅要能用过去的知识教今天的学生，更要用今天的知识和技能培养今天的学生，为学生未来发展服务。与其授人以鱼，不如授人以渔，学校要着力提高学生对社会的适应能力和对技术的跟踪水平，以彰显高职教育的优势。

（五）全面构建学校与社会互动合作机制

产教融合、校企合作是高职院校办学的重要特征，工学结合、知行合一是高职院校人才培养,从高职教育发展伊始,教育工作者们就一直在广泛强调和持续推进，为应对教育现代化新趋势和新要求，这方面的工作还需要进一步加强，使高职教育真正实现与社会、与行业企业互动对接，形成你中有我、我中有你或紧紧相依的关系，既要把学校办到社区去，也要将教育与社区、区域、行业、企业、个人的需求结合起来。这样做既可以为学校的发展找到合作伙伴，也可以为学校教育更好地了解需求、满足需求提供体制和机制上的保障。从这种意义上说，我们一定要构建起高等职业教育更好的发展生态，真正把产教融合机制建立起来，以全面彰显高等职业教育作为高教与职教跨界教育的魅力和生命力，促进高等职业教育可持续发展。

当然，从宏观政策层面看，必须从教育结构优化以及与经济社会发展密切性角度，对高等职业教育采取必要的保护战略或研究巩固类型与层次提升相结合的调整方案，以便利于高等职业教育发展更加可持续、高等教育结构更加优化。

第四节　高教性与实现机制研究

一、高职教育的高教属性分析

我国学者关于高等教育和大学属性的论述很多，如应用性是高等教育的本质属性；专业性是高等教育的本质属性；开放是大学的本质属性；大学的本质是一种功能独特的文化机构，即大学的本质属性是文化性，大学的功能是育人，必须依靠文化育人。我们通常把普通高等学校分为研究型、教学研究型、教学型、高职高专等类型，针对不同的类型，应设立不同的质量标准。无论怎样理解和认识我国高职教育的出身，在认定高职教育具有职教属性的同时，其高教属性也是不可忽略和否定的。

（一）高职教育是高中阶段后教育

从过去和当前的招生和办学情况看，我国高等职业院校招生大致分为两种类型：一种是高中毕业生，学制三年，通过高考后录取；另一种是中等职业学校毕业生，学制三年，通过统一招生考试后录取。高中毕业生通过高考后录取，显然是高中阶段后教育，而中等职业教育毕业生则相当于完成了高中阶段教育，因而也具有鲜明的高中阶段后教育特点。近年来我们在不断探索招生制度改革，招生形式已经发展到五六种，但其大框架还是上述两类，基本情况也没有什么变化。当前我国已经进入“十四五”发展新时期，不少省市特别是经济较为发达的省市，已经开始酝酿和提出普及十二年制义务教育的发展规划。加强综合高中建设，实际上表明将适当提高职教起点，会进一步强化和彰显高等职业教育的高等教育属性。①

（二）高职教育是高等教育具有法定性

在高职教育早期产生和发展的实践中，对高职教育的属性和归属曾经存在争论，后经反复讨论，在 1998 年颁布的《中华人民共和国高等教育法》上给予了确认，该法第十六条明确规定，高等教育包括专科、本科和研究生教育。据此，我国从 1998 年以来，全国高职与高专院校的统一管理职能一直由教育部高教司承担，教育部思政司、社科司在各自的职责范围内统一行使对高职院校与高等专科学校党建工作、思想政治工作、校园文化建设、思想政治课建设、哲学社会科学研究等工作的指导。即使是 2011 年高职高专处划归职业教育与成人教育司管理后，教育部思政司、社科司在这些方面的职能也并没有改变。也就是说，高职教育的高教性还在，国家人事部门在统计高职院校学生的学历层次时，也始终明确其为大学专科层次。

（三）明确高教和职教双重属性有利于高职教育的健康发展

关于高职教育的属性，学界始终有不同的认识，有学者认为高职教育应该“姓高名职”，有学者认为应该“姓职名高”，笔者始终认为“高职复姓”更为

① 韩江萍，曾天山，陆宇正．职业教育贯通培养的实践探索、现实困境与优化策略[J]．职业技术教育，2024，45（29）：6-11.

科学。但无论如何，我们都应该明确高职教育的双重属性。一方面，国家全面建成小康社会，需要一大批“下得去、用得上、留得住”的高素质技能型人才，这是中华民族伟大复兴的基础性人才保障，强化其一线意识、基层意识，对服务“三农”、服务先进制造业、服务现代服务业十分重要，这就是职教属性。另一方面，我们需要的人才，不仅要适合当下，还要有面向未来的学习和创新能力，必须通过学习和教育实现人的全面发展，有创新精神，有社会责任感，有职业发展能力，这就必须适度加强其高教属性，重视素质教育和文化建设，注重培养学生的发展后劲。

二、有效构建落实高职教育高教性的实现机制

根据前述分析，我们有理由认为，从我国高职教育创新发展和可持续发展的视角看，我们必须在明确高职教育职教属性的同时，坚定不移地明确和强调高职教育的高教属性，并加以系统的规划和指导。

（一）探索新的管理体制和机制

从长期的视点看，中华民族要实现伟大复兴，提高全民族的综合素质是必然趋势。国家需要大力发展高中后职业教育，并适当延迟实施职业教育的时间。因此，需要结合国家教育综合改革方向，进一步研究有利于高职教育全面协调发展的新的管理与组织架构。

（二）探索建立高职教育学位制度

高职教育是我国培养应用型人才的主要力量。关于高职教育的学位问题，理论界也有较多呼吁，实践上也有尝试，如湖北职业技术学院的“工士”学位等。一般认为，作为一种文凭资历，学位不仅能引导和激励人才的培养，而且能有效地塑造社会场域的内在结构，在社会交流中发挥给予指向的作用。学位作为一种身份象征，向大众展示着个体所有的知识、功能的类型与水平，它具有衔接功能、正名功能、导向功能和资本功能。然而，到目前为止，在我国高等教育诸类型和层次中，高职教育是唯一一个没有学位的，这一现状既不利于其发展，也不利于其真正形成特色。为此，教育部门应抓紧研究并尽快实施该制度。笔者建议：第一，加强和完善顶层设计，修订相关法律法规，至少应变三级学位为四级学位，或者实施统一学位制度，或者鼓励自授学位制度。第二，制定并实施适应高职教

育特色的学位授予标准和管理办法，如湖北职业技术学院的“三证四合格”考核办法，并据此授予“工士”学位，就是一个由专家指导的学校自主标准和办法。第三，完善职业资格证书制度，并建立相应的衔接机制，积极争取条件，使高等职业教育的学位与相应资格证书有机协调，并建立对应关系。第四，构建高等职业教育与普通教育的立交桥，使学位晋级发展具有相应的通道。第五，通过双管齐下，即部分优质高职院校升格和新建本科院校转型等方式发展一批本科层次高职院校，主要举办本科职业教育，使学位制度形成体系和常态。

（三）系统构建现代高职教育体系

近年来，构建现代职业教育体系已成为重要议题。为此，教育部会同国家发展和改革委员会等部门进行了系统研究。这一体系规划比较重视和照顾中等职业教育的发展。我们应该也必须承认，从今天乃至相当长时间看，体系构建依然任重道远。同时，我们认为，重视以高中后为基础的体系建设，即把高等职业教育本身也作为一个有层次的体系来研究和打造，也极其重要。也就是在强调现有专科层次高职院校总体上安于其位，新建本科院校应用型转型的情况下，鼓励更多本科高校向职业应用型方向努力，从而可以开展专科、本科和硕士乃至博士层次教育教学和人才培养工作，这是很有意义的。为此，笔者建议：第一，按照高中后三年和高中后四年学制的要求，构建高职教育专科和本科基本框架，形成高职教育基本培养制度。第二，据此授予相应的学位，与普通高等教育考量指标不同，但含金量等值。第三，积极创造条件，比较普遍地发展专业硕士学位培养制度。专业硕士由高等职业院校、转型本科学校与行业企业联合培养，主要招收具有本科以上学历或学士学位的在职人员，可通过在职研读和脱产学习的方式进行，重点突出和强调应用型技术研究和项目开发，培养学生分析尤其是解决实际技术和产品项目问题的能力。解决了学位和体系问题，高职教育的高教性就有了新的着落点。

第五节　着力推进高职教育类型特色建设

一、坚持以习近平总书记关于职业教育的重要指示为根本遵循

党的十八大以来，以习近平同志为核心的党中央把职业教育摆在了前所未有的突出位置。2014年6月，国务院召开全国职业教育工作会议，中共中央总书记、国家主席习近平对职业教育做出重要指示，对职业教育进行了形势新判断、功能新定位和工作新部署。坚持以习近平总书记关于职业教育的重要指示为指导，这是我们贯彻落实《国家职业教育改革实施方案》（以下简称《实施方案》）的根本遵循。

（一）形势新判断：将职业教育摆在更加突出的战略位置

习近平总书记指出，职业教育是国民教育体系和人力资源开发的重要组成部分，是广大青年打开通向成功成才大门的重要途径，肩负着培养多样化人才、传承技术技能、促进就业创业的重要职责，必须高度重视、加快发展。在我国经济由高速增长阶段转向高质量发展阶段进程中，建设现代化经济体系是我国发展的战略目标，为了更好实现这一目标，必须抓好职业教育工作，这既是推进教育改革的战略性问题，又是促进经济和惠及民生的重大问题。从这个意义上讲，必须把职业教育摆在更加突出的战略位置，引导社会各界特别是行业企业积极支持职业教育，并将其作为深化教育领域综合改革的突破口和转方式、调结构、惠民生、防风险的战略支点，推动职业教育与经济社会同步发展。①

（二）功能新定位：牢牢把握服务发展、促进就业的办学方向

培养什么人、怎样培养人，这是我们教育工作的出发点和落脚点。对于职业教育，习近平总书记强调，要深化体制机制改革，牢牢把握服务发展、促进就业的办学方向，创新各层次各类型职业教育模式。这就需要我们树立正确人才观，

① 李兴洲，刘徐迪．职业教育赋能青年发展的现实困境与优化策略[J]．北京青年研究，2024，33（6）：102-108.

坚持以立德树人为根本，培育和践行社会主义核心价值观，促进学生全面发展。与此同时，牢固树立以提高质量为核心的教育发展观，把提高职业技能和培养职业精神高度融合，着力提升学生的职业精神、职业技能和就业创业能力，弘扬劳动光荣、技能宝贵、创造伟大的时代风尚，营造人人皆可成才、人人尽展其才的良好环境，为技术技能人才成长创造更好的社会氛围，努力让每个人都有人生出彩的机会。

（三）工作新部署：坚持产教融合、校企合作、工学结合、知行合一

习近平总书记提出，坚持产教融合、校企合作，坚持工学结合、知行合一（以下简称“四合”机制），建设中国特色职业教育体系。在宏观层面，要落实政府发展职业教育的举措，发挥好保基本、促公平的作用，加强规划统筹、政策统筹、资源统筹。在中观层面，要处理好职业教育利益相关者，如政府、学校、社会、社区、行业、企业的关系，充分发挥市场机制作用，激发职业教育办学活力，促进产教深度融合。在微观层面，要深化专业、课程和教材改革，创新人才培养模式，提高人才培养针对性、实效性，推动校企合作育人，培养数以亿计的高素质劳动者和技术技能人才。

二、坚持问题导向，着力解决高职教育发展中的瓶颈问题

《实施方案》直面我国职业教育发展中的问题，如体系不够完善、实训基地有待加强、制度标准尚不健全、企业参与动力不足、相关配套政策有待完善、办学和人才培养质量良莠不齐等，这些问题在高职教育领域同样存在。在贯彻《实施方案》的过程中，我们要坚持问题导向，着力解决这些影响和制约我国高职教育发展中的瓶颈问题，着力打造高职教育类型特色，为建设现代化经济体系和教育强国提供坚实支撑。以下简述高职教育发展中的瓶颈问题。

（一）类型特色不够鲜明

《实施方案》开宗明义，指出职业教育与普通教育是两种不同教育类型，具有同等重要地位。对于高职教育而言，其最鲜明的类型特色是通过人才培养更好满足受教育者作为个体发展的需要，同时满足企业的要求。但在现实中，“四合”机制并没有得到积极地构建，德技并修、育训结合的育人模式也没能得到很好地

彰显，如此一来，处于普通高等教育与职业教育交叉领域的高等职业教育面临着追求“高”还是坚持“职”的两难困境，由此引发了地位与身份危机，而这种地位与身份危机最主要的原因是高职教育类型特色不够鲜明。

（二）规模和质量不相匹配

改革开放后，特别是进入21世纪以来，我国高职教育走过了快速发展的历程，无论是高职院校数，还是在校生数和毕业生数都呈现出持续增长的发展势头，其规模已占高中后阶段教育的一半左右。我国高职院校开设有近千个专业，涉及近10万个专业点，办学规模是名副其实的世界第一。但在现实中，还存在着重规模轻质量、重硬件轻软件、重外延轻内涵的现象，教学作为高职院校的中心工作没有得到应有的重视，对教学基本建设的投入不足，教师、教材、教法存在薄弱环节。此外，部分高职院校将自身定位为本科“压缩”型，导致出现教师不发展、教材不更新、教法不改革的困境，这种状况严重制约了我国高等职业教育的发展。

（三）社会力量参与支持不够

加强职业教育不仅是教育问题，还与经济工作有着直接而密切的联系。实践中，我国高职教育已经成为不可否认的一种教育类型，但受传统的体制机制因素制约，行业企业参与高职院校办学和人才培养的动力不足，缺乏相应的激励政策，导致高职教育人才培养供给侧和产业需求侧在结构、质量、水平上还不能完全适应。特别是多数高职院校是在脱离行业主管部门的情况下开展办学活动，社会力量参与支持不够在很大程度上使产业与教育深度融合受到影响，校企合作存在“一头热”“独角戏”等问题，导致高职教育发展受到越来越大的制约。

三、贯彻落实《实施方案》，要妥善处理好四大关系

（一）职业教育的类型特色与高教性的关系

《实施方案》提出的职业教育是一种类型教育的理念明确告诉我们，高等职业教育仍然具有高等教育和职业教育双重属性，而且，从社会心理等角度看，承认高教属性也是办好高等职业教育的重要因素，而在现实中高职学生“专升本”比例仍有上升趋势。正因为这样，我们在贯彻《实施方案》过程中，既要扎扎实实推进职业教育类型特点形成，强化职业教育属性，如积极推进“1+X”证书制

度试点，建设“双师型”教学团队，推进产教融合、校企合作，抓好职业培训，重视实践实训等，又要坚持高等职业教育的高教属性，着力在服务学生发展上下功夫，努力把服务市场需求与服务学生发展结合起来。国家在高等职业教育发展政策上仍然要坚持双重属性、双重身份、双重待遇、双重激励；对于高等职业学校而言，应做到既要发展职教性，也要坚守高教性。

（二）落实百万扩招任务与高职教育高质量发展的关系

提高职业教育质量，推进高职教育高质量发展是《实施方案》的主题。《实施方案》第三条就直接以“推进高等职业教育高质量发展”为醒目标题，进一步明确了高等职业教育高质量发展的重要性。在2019年《政府工作报告》中，李克强又从宏观经济运行和稳就业视角出发，明确提出了高职扩招100万人的战略安排。应该说，这两个命题都是时代的要求，如果从单一或孤立的角度看，似乎是矛盾的，但从全面辩证角度出发，我们一定要做好协同统一的工作，扩招是要采取有效措施实现有质量的扩招，扩招以后要通过深化教育教学改革，开展更有针对性和更有质量的教育，从而切实提高扩招后的高职教育人才培养质量，巩固高职教育社会声誉，并率先从高质量就业方面彰显高等职业教育高质量发展的成效。

（三）扩大高职教育规模与学生“专升本”的关系

相当长一个时期以来，我国教育政策在教育结构上一直坚持高中阶段职教与普教大体相当，高中后教育高职与本科各“半壁江山”的政策，实际执行情况中等职业教育、高等职业教育均在40%左右。在2014年召开的全国职业教育工作会议上，教育部、发展改革委、财政部、人力资源社会保障部、农业部、国务院扶贫办发布了《现代职业教育体系建设规划（2014—2020年）》，强化了对中等职业教育和高等职业教育的重视，其中明确中职学校不升格为高职院校，高职院校不并入或升格为本科院校，对中职教育和高职教育发展规模也提出了要求。尽管现在执行效果一般，双双都有跌破40%的可能，但作为国家战略决策始终没有变。《实施方案》颁布实施不久，在2019年全国两会上又决定高职教育扩招100万人，并且把发展职业教育尤其是高职教育纳入宏观经济及就业战略上来，其指导方向应该是十分明确的。但问题在于，一方面，国家大力发展高职教育，推动稳就业目标的实现；另一方面，由于社会文化心理等多种因素使然，高职在校学生“专升本”意愿不断强化，比例也在大幅提高，而各省因为录取率等指标，“专升本”招生计划又在不断扩大，形成政策指向与社会现实之间的明显反差，这也有悖于职业教育以就业为导向的人才培养目标的实现，值得引起我们关注和思考。

（四）产教融合型企业与全面推进产教融合的关系

产教融合是办好职业教育的精髓，为此，国务院办公厅在2017年就印发了《关于深化产教融合的若干意见》（国办发〔2017〕95号），这一经验也正在逐步向应用型本科高校推广。据了解，国外的许多职业教育学校大多位于企业附近，中国也有不少产业园区与学校的结合和互动，充分考虑到产教融合的重要性。国家发展改革委会同教育部出台了《建设产教融合型企业实施办法（试行）》，并明确了对产教融合型企业的“金融＋财政＋土地＋信用”的组合式激励以及教育费附加抵免等政策措施，并明确指出，力争到2022年培育1万家左右的产教融合型企业。笔者认为，政府的这些出发点无疑是十分正确的，但在实施过程中，一定要防止为了获得优惠激励而出现争取帽子或者争抢指标等情况。关于这一点，前些年在开发区、科技型企业等认定方面是有教训的，这就提醒我们要从整体上鼓励产教融合的深入开展，实现产业链—创新链—人才链—教育链的有机结合，防止出现少数院校下花样功夫和少数企业搞形式工程的情况。

第二章　高职教育高质量发展的基础

第一节　高职教育高质量发展的内涵与特征

高质量发展既是“十四五”时期我国经济社会发展的时代主题，也是全面建设社会主义现代化国家的关键动力，具有非常重要的战略地位。我国高职教育是提高就业质量、推动产业转型升级、提升产业竞争力的重要支撑。在新发展格局下，高职教育必须推动自身高质量发展，以适应经济社会尤其是产业高质量发展的需要。本节尝试对高职教育高质量发展的时代内涵和基本特征进行分析，以期为贯彻落实国家创新驱动发展战略，推进社会主义现代化国家建设，提升高职教育对区域经济社会发展的贡献度提供参考。

一、高质量发展的基本内涵

“高质量发展”是2017年党的十九大报告中首次提出的表述，它反映了我国经济发展阶段的战略性调整，自提出后便作为高频词被应用到经济社会的各个领域，被赋予了越来越丰富的内涵。从一般意义上看，“高质量发展”不等于“高质量”，“高质量发展”是一个复合概念，它包含“高质量”和“发展”两个关键词。从词语释义角度看，“高质量发展”属于发展的范畴，是指高质量的发展；而“高质量”则属于质量的范畴，是指质量高。纵观现有文献，不同的专家学者对高质量发展内涵的理解有所不同，但是总体而言，大致可以从以下3个方面把握高质量发展的基本内涵。

第一，从投入产出关系来看，高质量发展就是要不断提高全要素生产率，以较小的投入获得较大的产出。

第二，从发展方式来看，高质量发展可以理解为从“追求规模扩张”的粗放型发展转向“以质量为核心”的集约型发展。

第三，从发展状态看，高质量发展表现为从注重某一种要素、某一个方面的局部性发展转向内涵驱动的整体性发展。

总的来看，高质量发展以提升发展质量为目的，其本质是一种全要素整体提升的发展，是事物内外部、各方面要素优化与协调的发展。它不是一蹴而就的，而是一个动态的螺旋式上升过程。

二、高职教育高质量发展的时代内涵

“高质量发展”这一政策概念自提出以后，很快应用到高职教育领域。因此，如何通过自身的高质量发展服务经济社会的高质量发展和社会主义现代化建设，已成为近年来高职教育改革与发展的时代主题。2019 年，国务院印发的《国家职业教育改革实施方案》明确要“推进高等职业教育高质量发展”；2021 年 10 月，中共中央办公厅、国务院办公厅印发《关于推动现代职业教育高质量发展的意见》。当前，将“高质量发展”应用到高职教育，具有特定的时代内涵。①

（一）从基本理念看，是符合“新发展理念”的发展

“创新、协调、绿色、开放、共享”的新发展理念，是在深刻分析国内外发展大势的基础上形成的，也是针对我国经济社会发展中面临的突出问题和矛盾提出来的。在国家“十四五”发展规划中，明确要求将新发展理念“完整、准确、全面贯穿发展全过程和各领域”。因此，这也为高职教育推进高质量发展提供了根本遵循。

进入高质量发展阶段，高职教育不仅要为经济社会实现创新、协调、绿色、开放、共享的发展提供支持，而且其自身也要贯彻落实新发展理念。第一，高职教育要坚持创新发展，敢于破除基础条件约束和体制机制障碍，提高资源配置效率，深入推进育人方式、办学模式、管理体制的创新，激发学校办学活力；第二，高职教育要坚持协调发展，优化教育结构体系，统筹兼顾，促进与区域经济社会发展相协调、与普通教育发展相协调；第三，高职教育要坚持绿色发展，以低碳、绿色、环保的理念推进校园建设和学校治理，丰富校园生态内涵；第四，高职教育要坚持开放发展，广泛引入行业企业深度参与学校人才培养全过程，积极参与国际交流与合作，提升发展的内外联动性；第五，高职教育要坚持用共享发展的理念，使发展成果更多、更公平地惠及全体人民群众，增强发展的公平性与可持

① 张潇予．共绘教育高质量发展新图景 [N]. 云南日报，2024-12-19（005）.

续性。

从基本理念看，高职教育高质量发展应该是符合“新发展理念”的发展，是更加崇尚创新、注重协调、倡导绿色、厚植开放、推进共享的发展。高职教育只有贯彻落实新发展理念，才能不断增强发展动力，推动自身高质量发展的进程。

（二）从目标导向看，是服务经济社会高质量发展的发展

高职教育作为与经济社会尤其是产业发展关系最为密切的高等教育类型，其本身是在适应经济社会发展需要的过程中建立和发展起来的。国家“十四五”时期，经济社会以高质量发展为时代主题，高职教育也必须在适应这个主题的过程中才能取得好的发展成绩。随着我国经济由高速增长阶段转向高质量发展阶段，产业发展对技术技能人才的要求不断提高。新技术的推广应用、产业的创新发展和转型升级、就业质量的提升等，都离不开高职教育提供的人才和技术支撑。人力资源和社会保障部 2021 年发布的数据显示，我国技能劳动者已超 2 亿，但从整个就业和经济发展的需求来看，技能人才总量不足且结构不合理。在这一背景下，高职教育立足大局，主动担当、勇于作为，积极对接国家战略和区域经济社会高质量发展需要，推动自身的高质量发展，有效解决高素质技术技能人才供给不足和培养质量不高等问题，将成为未来推动高职教育高质量发展的重要目标。

资源的有效配置是高质量发展的关键环节和重要表征。从党的十九大开始，我国就明确提出“必须坚持质量第一、效益优先，以供给侧结构性改革为主线，推动经济发展质量变革、效率变革、动力变革”。从供给侧看，当前我国高职教育普遍存在供给结构失衡、供给质量不高、供给效率低下等问题。因此，在新发展格局下，高职教育想要实现高质量发展，就必然要推动质量、效率和动力三大变革。首先，推动质量变革，提高人才培养的质量和社会服务能力，减少低端人才无效供给，增加中高端人才有效供给，以适应产业价值链从“中低端”走向“中高端”的需要。其次，推动效率变革，破除一些以往制约效率提升的体制机制障碍，优化制度供给，推进制度创新，提高资源配置效率，提高供给结构对需求变化的适应性和灵活性，以既定的投入获取更大的产出。最后，推动动力变革，将传统要素驱动力转变为创新驱动力，通过创新驱动，提高全要素生产率，实现高职教育创新驱动发展，进而有效提升高职教育的创新力和竞争力。

（三）从根本目的看，是满足人民群众对职业教育新期待和新需求的发展

习近平总书记指出：“人民对美好生活的向往，就是我们的奋斗目标。”期盼接受更好的教育，包括更好的职业教育以实现个人发展需要，是“人民群众对美好生活向往”的重要方面。推进高职教育高质量发展，就是坚持以人民为中心发展教育，坚持发展为了人民、发展依靠人民、发展成果由人民共享的重要体现。近年来，我国实现了从“温饱”到“小康”，再到“全面小康”的跨越，正起步朝着“共同富裕”的方向迈进，人民群众对高职教育的诉求更高也更加多样化。但是，我国高职教育在规模上取得重大成就的同时，在实现特色发展、品质发展，满足人民群众对更加优质、更加多样化需求的能力上还相对滞后，同时，优质职业教育资源短缺已经成为现阶段我国高职教育发展进程中的主要矛盾。因此，推动高职教育高质量发展，从根本目的来看，就是要通过改革创新，不断提高发展质量，满足人民群众对职业教育的新期待和新需求。

三、高职教育高质量发展的基本特征

走向高质量发展阶段的高职教育，其基本特征也会在过去的基础上发生转变，这种“转”不仅仅是发展阶段的转换，还是发展方式和发展特征的转变。总的来看，为构建新发展理念下高质量发展新格局，高职教育发展呈现以下几个特征。

（一）在发展水平上，从“数量追赶”转向“质量追赶”

自改革开放以来，我国高等职业教育从恢复、发展到壮大，逐步实现了办学规模从“相对落后”到“世界第一”的飞跃。特别是20世纪末以来，在高等教育大扩招的背景下，高等职业教育得以迅猛发展。截至2023年，高等职业院校数量已由2000年的442所增加到了1578所（含本科层次职业学校33所），为构建现代职业教育体系打下了扎实的数量基础。然而，不论是从当前高等教育发展的阶段看，还是从人口形势的变化来看，在高职教育迈向高质量发展的过程中，必然要呈现出从“数量追赶”转向“质量追赶”的特征，其原因主要有以下几个方面。

1. 高等教育进入普及化阶段，决定高职教育要从“量”向“质”转变

从高等教育毛入学率指标看，过去40多年，我国高等教育毛入学率大幅提高，从1978年的1.55%提升至2022年的59.6%。高等教育也从过去“千军万马

过独木桥”的精英化教育，走到了如今的普及化教育，实现了前所未有的跨越式发展。截至2023年6月，全国普通高等学校共有2820所，其中普通本科学校有1242所，占44.04%，高等职业院校（含本科层次职业学校）1578所，占55.96%。由此可见，高职教育占据了高等教育的半壁江山，是高等教育普及化发展的中坚力量。在普及化发展阶段，人民群众对高等教育尤其是高职教育上学需求的“数量缺口”基本被填满，近年来，有些高职院校甚至还出现了招生缺口，这表明我国高职教育未来发展的重点将不再是规模与数量，而是转向质量提升。

2. 优质高职教育资源短缺，要求高职教育必须增加优质资源供给

高职教育迅猛发展的现状，一方面满足了高等教育由精英化教育走向普及化教育的时代需要，满足广大适龄青年接受高等教育的现实需求；另一方面也带来教育资源稀释、师资力量短缺、财政拨款压力增大等诸多问题，使得高职教育“质量缺口”问题进一步凸显。特别是伴随着我国居民收入水平提高和中等收入群体的扩大，人民群众对优质教育的需求不断提高，优质资源短缺与发展不均衡不充分的矛盾更加突出，这也成为新时期我国高职教育发展面临的最为突出问题之一。

3. 适龄人口总量下降，需要高职教育更加关注办学质量提升

近年来，我国人口出生率呈现不断下降的态势，影响到适龄受教育人口总量。人口增速放缓及高等教育适龄人口减少，必然会引发高等教育生源下降。而生源的下降又会进一步导致高职院校之间的竞争加剧，这必将促使未来高职教育发展对数量扩张的需求进一步降低，进而转向更加关注办学质量。

从以上论述可以看出，新时期如何把高职教育快速发展的数量优势转变为不断增强的质量优势，不断增加优质高职教育资源供给，满足人民群众日益增长的对优质高职教育资源的强烈需求，增强发展的质量优势，填补“质量缺口”，是高职教育转向高质量发展阶段的重要特征。

（二）在发展重点上：从“规模扩张”转向“结构优化”

用系统论的观点看，高等教育的结构对其作用的发挥有着决定性影响，科学合理的结构是保障高等教育实现高质量发展的基础。毋庸置疑，近年来高职教育为经济社会发展提供大量的人才支持和技术支撑。然而，“大而不强，快而不优”的问题一直困扰着我国高职教育的改革与发展。目前，高职教育虽然规模庞大，但是在层次结构、区域布局和专业结构等方面均存在着与经济社会发展需求不相

适应、相互脱节的问题，这使得高职教育从“规模扩张”转向“结构优化”，成为推动高质量发展的必然选择。

1. 层次结构重心偏低，亟待稳步发展职业本科教育

现代职业教育体系既是建设高质量教育体系的重要组成部分，也是推动现代职业教育高质量发展的关键内容。很长一段时间以来，我国高职教育都停留在专科层次。直到 2019 年 6 月，教育部批准了 15 所民办高职专科院校升格为职业本科学校，才正式打破职业教育专科层次的“天花板”。教育部 2023 年统计数据显示，全国职业本科学校达到 33 所，占高职本专科学校总数的 2.09%。由此不难看出，我国高职教育现有办学层次重心偏低，职业本科发展不充分。目前，我国社会工业化程度不断加深，产业结构转型升级以及人工智能逐步兴起和普及，产业智能化水平不断提高，因此提升职业教育层次结构迫在眉睫。为推进高职教育高质量发展，优化办学层次结构成为我国高职教育改革发展的必然趋势。

2. 区域结构分布不均衡，要求提升布局结构的协调性

整体的均衡、协调与平等是高职教育高质量发展的重要体现。高职教育承担着向生产一线输送高素质技术技能人才的重任，合理的布局结构对实现我国区域协调发展意义重大。从布局结构看，我国高等职业教育资源存在分布不均衡现象。在数量布局上，中西部省份高职院校数量明显低于东部地区；在质量布局上，优质高职院校大多也集中在东部沿海地区。从新发展理念的角度看，不同地区之间、城乡之间、群体之间应享有平等的接受优质教育资源的机会。因此，提升布局结构的协调性，服务区域经济社会发展，是高职教育高质量发展的必然追求。

3. 专业结构有待优化，亟须以需求为导向优化专业布局

专业结构调整优化既是推动高职教育高质量发展的关键环节，也是高职教育实现高质量发展的内生动力。然而，目前高职院校专业设置虽然覆盖面广，布局较为完备，但是专业设置趋同、结构不合理的现象依然突出。有研究表明，我国高职院校在专业设置上基本形成了以电子信息、财经商贸、装备制造、文化艺术为主体的专业结构布局。据不完全统计，高职院校上述几个专业大类的布点数在 60% 以上，专业趋同现象十分明显。与此同时，战略性新兴产业相关的专业设置亟待加强，如光伏发电技术及应用、新能源发电工程技术、节能工程技术等专业少有高职院校设置。对此，为对接经济社会高质量发展需要，学校一方面要积极适应国家战略和区域支柱产业、战略性新兴产业发展需要，加大亟须紧缺人才培

养；另一方面要加快传统专业升级改造步伐，淘汰落后专业，迅速优化专业布局。

（三）在发展方式上，从“要素推动”转向“创新驱动”

从实现路径看，高职教育高质量发展是实现质量、效率和动力变革的发展，由“要素驱动”转向“创新驱动”是我国高职教育推进高质量发展的必由之路。熊彼特认为，创新就是“建立一种新的生产函数”，即把一种从来没有过的关于生产要素的“组合”引进生产体系中。通过创新驱动，可以提高单一要素或者综合要素的生产率。创新能够解决发展中的两个基本问题：一是资源稀缺的瓶颈问题；二是生产要素边际收益递减的问题。随着我国整体转入高质量发展阶段，高职教育在发展方式上也必将表现为由“要素推动”转向“创新驱动”。

1. 资源环境约束趋紧，决定发展方式要从“要素驱动”转向“创新驱动”

长期以来，我国高职教育通过不断增加资金投入、改善办学条件、壮大师资队伍等要素投入，有力推动高职教育“量的发展”。然而，受过度关注办学要素投入的影响，我国高职院校创新意识和创新能力普遍不强。一方面，我国高职教育长期依靠要素驱动，形成了依赖“要素驱动”的惯性力量；另一方面，高职院校高度依赖人力、财力、物力等要素驱动，在发展过程中逐渐形成不少适应要素驱动而不利于创新驱动的制度性藩篱。从实践看，我国高职教育发展尚未形成与自身传统以及外部需求相适应的科学合理的要素组合，要素没有发挥出应有的作用，办学模式趋同、发展目标和专业结构趋同、盲目扩张造成的教育资源紧张，尤其是优质师资缺乏，应用科技研发薄弱等问题日益突出。与此同时，我们必须清醒地看到，我国高职院校经费来源相对单一，多渠道筹措经费的机制尚未形成。在资源环境约束趋紧的背景下，传统的“要素推动”发展模式难以持续。在这样背景下，高职教育发展方式必然要从“要素驱动”转向“创新驱动”。

2. 数字化引领驱动，促进发展方式由“要素驱动”向“创新驱动”转变

数字化是驱动高职教育创新发展的重要引擎。近年来，以互联网、大数据、人工智能为代表的现代信息技术，不断引领教育理念与教育模式创新。借助数字化技术推动专业升级和治理变革，促进高质量发展，成为高职教育推进创新发展的强大动力。党的二十大报告明确指出，要“推进教育数字化”。在要素禀赋发生

变化的背景下，实施教育数字化战略行动，以数字化推动教育变革和创新，推进优质教育资源开发和普及共享，是高职教育推进高质量发展的必由之路。因此，进入高质量发展阶段，高职教育要善于利用数字化这个重要发展引擎，充分发挥数字化技术在新型生产要素中的作用，更好地促进高职教育向“创新驱动”发展方式转型。

从上述论述可见，我国高职教育要实现高质量发展，在发展方式上，必须从“要素推动”转向“创新驱动”，把创新作为提高全要素生产率的第一动力，依靠创新驱动，推动高职教育更高效率发展。因此，转向高质量发展阶段，从“要素推动”扩张外延走向“创新驱动”提升效率，是我国高职教育高质量发展的显著特征。

（四）在发展状态上，从“相对封闭”转向“更加开放”

坚持开放办学是高职教育高质量发展的重要动力。实践表明，以开放促改革、促发展是我国高等教育发展不断取得新成就的重要推动力。进入高质量发展阶段，高职教育必将以更加积极开放的姿态向前发展，推动形成更高水平的对外开放新格局。总的来看，虽然我国经济发展已经深度融入全球化，但高职教育对外开放程度还不够，亟待开拓新局面。

1. 来华留学生规模较小，未来发展空间巨大

目前，我国高职教育国际化发展已经初具规模，留学生数量逐年增加，但体量仍然相对较小。根据教育部统计数据，目前，与国外办学机构开展合作办学的高职院校有 400 余所，全日制来华留学生规模达到 1.7 万人，按职业本专科在校生规模 1603.03 万人测算，高职院校来华留学生比例仅为 0.11%。此外，从生源国别看，来华留学生主要来自发展中国家，发达国家的较少。根据经济合作与发展组织（OECD）的统计，国际留学生占高等教育总在校生人数的比重，发达国家普遍在 8% 以上，澳大利亚、英国等国家甚至高于 10%。可见，我国高职教育来华留学未来发展空间巨大。

2. 中外合作办学有待加强，亟须提升国际交流与合作的整体水平

教育部中外合作办学监督工作信息平台显示，目前我国高等教育领域的中外合作办学机构共 152 个，其中高职教育类的机构 40 个，占比仅为 26.3%。总的来看，中外合作办学以普通本科教育为主，高职教育国际交流与合作的整体水平还

不高。中外合作办学是引进国外优质教育资源的重要途径。《职业教育提质培优行动计划（2020—2023年）》特别强调，要鼓励引进国（境）外优质职业教育机构来华合作办学。

3. 海外办学有待进一步拓展，仍需扩大开放的范围和领域

新修订实施的《中华人民共和国职业教育法》第十三条明确指出，国家鼓励有条件的职业教育机构赴境外办学。目前，我国高职教育无论是在海外办分校，还是援外职业教育项目，规模均普遍较小，且分布不均衡。有关统计结果显示，我国高职院校现已建成的国（境）外办学点数量达200多个，这些办学点主要由江苏、浙江、广东等东部沿海地区的职业院校举办，并集中分布于泰国、赞比亚、马来西亚、柬埔寨等“一带一路”沿线国家。

在转向高质量发展的进程中，我国职业教育，尤其是高职教育，要实现更高质量的开放合作，不仅要扩大来华留学规模，还要提升来华留学质量，同时要围绕“一带一路”倡议和产业“走出去”战略，加快“走出去”步伐，通过建设鲁班工坊、推进“中文＋职业技能”项目、联合行业企业组建海外办学机构和技术服务中心，加快推动职业教育办学格局由“相对封闭”向“更加开放”转变。

第二节　高职教育高质量发展的理论框架

一、人才培养高质量发展

人才培养高质量发展是高职教育高质量发展的核心，主要体现在人才培养创新方面，尤其是人才培养目标的创新方面。经济高质量发展阶段“人口红利”向“人才红利”转变，其中，高素质技术技能人才是重要支撑，高职教育则是人才生产的主阵地。一方面要培养适应经济社会发展的“适应型”人才，促进高职教育与经济的同向转变与发展；另一方面要培养引领经济社会发展的“引领型”人才，通过高职教育发展引领经济社会的各方面发展，实现高职教育匹配经济发展、先于经济发展，从根本上提升高职教育质量。

“适应型”人才是指高职教育培养的人才能够满足经济社会发展的需要，与经济高质量发展相协调。舒尔茨指出，人力资本的知识、技能和能力是具有经济

学价值的资本，其中教育在人力资本中起决定性作用的 7%。也就是说，经济发展决定教育培养什么样的人，而教育培养的人才是经济发展样态与社会发展的反映。立足于经济社会高质量发展对高水平技术技能人才的需求，培养顺应当前经济发展和产业技术变革趋势的复合型、创新型技术技能人才是高职教育的首要目标。另外，这一目标还体现在高职教育适应人的发展层面。经济高质量发展阶段的我国高职教育的主要矛盾是人民对于教育与培训的多样化、个性化需求与不平衡、不充分发展之间的矛盾，要求高职教育主动适应人才的多样化需求，以更加开放和包容的教育样态满足个体多样化的教育与培训需求，服务于全民发展、全面发展和可持续发展。①

“引领型”人才是指高职教育培养的人才能够站在科技前沿引领产业升级，引领经济高质量发展。党的十九大报告中提出的“具有国际水平的战略科技人才、科技领军人物、青年科技人才和高水平创新团队”正是对这类人才的描述。经济发展决定高职教育发展，同样高职教育反作用于经济发展，“人口红利”向“人才红利”转变很大程度上依赖于高职教育先行，通过培养引领型、创新型技术技能人才在一定程度上引领产业变革与产业结构调整，不断深化产教融合、校企合作的办学模式，提高高职教育人才的前瞻性。

二、资源配置高质量发展

资源配置高质量发展是高职教育发展转型、质量转轨的基础。坚持市场导向的资源配置方式，实现高职院校有形资源与无形资源的重组与优化，实现高职教育资源配置与高质量发展相协调。

经济学中，资源是为生产所必需的一切生产要素，也可称之为生产要素，稀缺性是其重要特征。高职教育资源就是高职教育领域中所必需的生产要素，同样具有稀缺性的特点，因此高职教育如何选择合适的方式优化资源配置至关重要。我们将高职教育资源配置定义为坚持市场配置的方式，以市场需求为导向，以服务经济发展为原则，对有形和无形的高职教育资源进行重组与优化。对有形教育资源的重组和优化，包括对教育主体、投资主体、教学师资、信息化资源、实践教学基地等的优化组合。其中，优化教育主体是完善高职教育办学体制机制的前提，优化投资主体是增加高职教育经费、完善教育投资与融资方式的重要途径，

① 冯琦琳．高等职业教育可持续发展研究 [M]. 上海：复旦大学出版社，2014.

优化教学师资队伍为高职教育发展提供智力支撑，信息化资源则是提升高职院校现代化办学能力、促进高职教育现代化发展的重要路径。对无形教育资源的重组和优化，包括对教育制度与规范、教学环境、校园文化、企业文化等软资源在高职教育过程中的建立、创新与合理利用。其中，高职教育制度与规范具有工具性和指导性价值，信息化、智慧化的教学环境和校园文化是高职教育发展的重要精神支撑，而企业文化则为社会化、市场化的资源配置提供了重要的参考与指导。以新的方式优化高职院校原有教育资源并高效创新地使用信息化资源，实现教育教学资源与高职高质量发展相协调，促进高职教育现代化发展。

三、国际化高质量发展

国际化高质量发展是提升高职教育核心竞争力的重要路径，高职教育国际化发展包括人员流动、项目传输、办学机构流动和标准流动在内的多要素双向互动，以内向型国际化驱动外向型国际化发展，塑造中国特色高职教育品牌。

在国际化类型划分上，企业国际化可分为内向型国际化与外向型国际化两种类型。内向型国际化形式主要有进口、购买专利技术等，外向型国际化形式主要有直接或间接出口、技术转让等。内向型国际化的目的往往是增强企业的技术创新能力与竞争力，更好地实现外向型国际化。教育国际化的划分与企业国际化的划分形式有异曲同工之处。简·奈特认为，教育国际化存在两种潮流——国内国际化与国外国际化，存在要素包括人员流动、项目输出、办学机构流动与国际项目或计划等。奈特提出，两种潮流应该被视为紧密联系、相互依赖的关系而非独立，国内国际化之于国外国际化十分重要，反过来国外国际化之于国内国际化也是一样。在教育国际化的要素划分上，研究多将人员、项目和机构作为核心要素，在已有研究基础上，我们在方向上将高职教育国际化分为内向型国际化与外向型国际化，在要素上分为人员流动、项目传输、办学机构流动与标准流动。

高质量的国际化发展就是要推动高职教育国际化的多要素双向流动，助推高职教育国际化发展由内向型向外向型转变。我国高职教育发展在很长一段时间内，主要以内向型国际化为主，立足我国高等教育的基础，通过借鉴国外经验、引进优质资源等方式，提升了办学质量，初步形成了中国特色的高职办学特色和经验。新时代高职教育国际化发展要延续并超越既得的成果：一方面满足国内市场对于高职教育与培训的多元需求，服务于人民的终身学习和可持续发展。另一方面，在国际化要素上，打破偏重人员流动和办学机构流动的路径依赖，实现包括人员流动、项目输出、办学机构流动和标准流动的多元要素流动；在方向上，以内向型国际化驱动外向型国际化发展，并以外向型国际化为主要发展方向，实现要素流动的双向性和外向性，打破过去过于注重“引进来”而忽视“走出去”的单向输入，实现国际化发展“输入”与“输出”的双向互动的平衡，并通过诸如开发国外认可的职业教育教学标准、专业标准等外向国际化形式向“输出”转变，对外输出中国职业教育文化、职业教育标准并为世界职教难题贡献中国智慧和中国方案，增强我国高职教育的国际话语权与国际影响力，向世界展现中国特色高职品牌。

四、组织治理高质量发展

组织治理高质量发展是高职教育发展的内在需求和根本保障。作为一种特殊的社会组织，高职院校要以柔性的组织管理创新驱动治理能力提升和治理能力现代化。高职院校应该具有科学化的管理理念和治理方式，通过信息化技术服务平台，实现高职教育的智能化管理，为科学合理的高职教育高质量发展战略提供重要的决策参考。

高职院校组织管理创新驱动治理能力现代化的过程，就是不断改革创新、与时俱进的动态过程。加快高职教育治理改革与创新，就是要不断提升改革高职教育治理中与高质量发展相矛盾的体制机制的能力，对滞后理念、结构进行变革的能力；提升治理创新能力就是强化治理理念与实践、治理结构与机制、治理方式与举措等方面的变革创新能力，全面提升高职教育治理除旧革新的能力，促使高职教育治理能力和创新能力协调发力。高职教育是一种多元社会主体参与、内外部资源互为交融的开放式无边界组织模式。高职教育在治理中首先要树立人本管理理念和公共治理理念，将人的需求作为治理的重点，实现多主体参与院校治理合作，维护并满足多元主体的利益需求。其次要优化治理结构，就是要对院校组织进行再造，改革原有管理组织，实行扁平化管理。通过减少院校内部管理层级，提高管理效率。此外，要创新院校治理方式，有效提升现代化治理水平。采用信息化治理方式提高现代化治理能力刻不容缓，我国高职教育院校治理多属于经验型，治理决策存在不合理、不科学的掣肘，而信息化治理手段能够有效提升院校治理决策的科学性、实效性与精准性，通过治理创新从根本上实现优化人才培养、产教融合、校企合作、治理环境等环节，增强院校开展高质量高职教育的能力。

五、服务能力高质量发展

服务能力高质量发展是高职高质量发展的结果呈现，能够展现高职教育教学质量、人才培养质量的整体水平。职业性和服务社会分别是高职院校的根本性质和使命。因此，高职教育要培养某一行业或企业所需的技术技能人才，以服务中小微企业发展作为高质量发展的最终呈现。在这一过程中，技术知识生产是高职院校的发展基础，技术成果转化助推产业结构创新驱动发展。高职院校作为高职教育的重要主体，首先是一个知识生产组织，技术知识是其重要的知识基础，教学成果是技术知识的重要表征，既有实践的一面，也有理论的一面，这也是高职教育与其他类型教育的区别所在；其次是一个极具跨界性的社会组织，与产业发展和企业发展密切相关，技术成果是其重要的实践基础，包含技术研发、技术成果转化等助推产业结构创新驱动发展。对高职教育而言，技术成果的实现与转化为产业和企业创新发展提供动力，教学成果的实现则更多为高职院校发展提供动力。技术创新成果的实现依赖技术知识的生产与创新，而技术知识的生产与创新则依赖于教育教学与科研创新。经济高质量发展阶段，创新具有链式变革的特征，并主要通过产业链进行扩散。在链式变革中，高职院校要履行科学研究的职能，坚持问题导向和贡献导向，积极开展科研创新活动。重在研究新一轮科技革命和产业变革的最新进展，探索转化机制，将技术创新、技术研发转化为促进高质量发展的内在驱动力，在技术赋能创新发展中提升高职办学水平和育人能力，推进高职教育真正走向经济发展中心。

坚持问题导向，就是以解决关键问题为出发点和落脚点，助推产业升级和产业结构调整。新一轮科技革命和产业变革深化融合，催生了大量新技术、新产业，为实现高质量发展提供了重要机遇。但我国目前技术创新能力较弱、关键核心技术受制于人，还存在技术研发与产业化之间创新链缺失、科技成果转化为生产力不足等问题。坚持贡献导向，就是全面提升高职教育的服务贡献能力，重点在于服务区域产业和企业的发展。经济高质量发展和高职高质量发展都更多依靠本土创新和自主研发，高职教育要坚持贡献导向，面向市场以企业为重要主体开展创新创业教育，积极参与行业、企业的技术研发、技术改造和产品升级，奠定局部领先的技术基础以提升技术创新能力，这是高职学生提升就业的基本路径也是创新创业教育的出发点和落脚点。

第三节　高职教育高质量发展的基本遵循

一、紧密围绕立德树人为要旨的国家政策指向

中国共产党领导既是中国特色社会主义最本质的特征，也是中国特色社会主义建设各项事业取得成功的保证。坚持党对高职教育事业的全面领导，是新时代高职教育高质量发展的根本遵循。

第一，坚持党的领导，必须牢牢坚持思想政治领导。马克思主义是中国特色社会主义革命和社会主义建设的根本指导思想，发展中国高职教育，必须始终坚持以马克思主义基本原理和方法论指导各项工作，尤其要以习近平新时代中国特色社会主义思想武装广大高职教育工作者的头脑，指导和推进高职教育高质量发展的各项工作，切实把思想政治工作贯穿于高职院校办学和管理的全过程，把思想政治教育作为高职院校教育教学的根本支撑点，培养拥护中国共产党领导和中国特色社会主义制度的建设者、接班人。第二，坚持党的领导，必须牢牢坚持社会主义办学方向。我国是社会主义国家，为人民服务是党的根本宗旨，发展高职教育必须坚持教育为人民服务、为社会主义现代化建设服务的根本方向，增强“四个意识”、坚定“四个自信”，办好人民满意的教育，为社会经济发展培养有用之才。第三，坚持党的领导，必须坚持把立德树人作为中心环节和根本任务。“德”与“才”是衡量人才的两大根本标准，其中“德”又被视为第一标准。高职教育德育工作主要包含两点内容：一是围绕社会主义核心价值观展开思想品德教育，帮助学生树立正确的人生观、价值观，帮助学生树立远大理想和坚定信念；二是以职业道德和人文素养为主的道德品质和行为习惯培养，让每一个学生从内心深处崇尚劳动和技术，具备吃苦耐劳、奋斗拼搏的精神，崇尚专注、极致，爱岗敬业、精益求精，具备良好的职业素养和“工匠精神”。第四，坚持党的领导，必须坚决贯彻落实党的教育方针和国家的各项教育政策。党中央、国务院出台的政策法规集中体现了党的意志，高职教育办学必须不折不扣、坚决彻底地贯彻执行。高职教育要实现高质量发展，广大高职教育工作者必须深入学习、深刻领会中央

出台的一系列教育文件精神，并将其运用于具体工作实践当中。

二、紧密围绕我国产业振兴的战略方向

服务产业发展是高职教育办学的基本出发点和落脚点。在国民经济体系中，制造业是为社会生产和民众生活提供大型工具、工业品与生活消费产品的行业，是基础性产业部门。高职教育要实现自身的高质量发展，就需要紧密对接产业链，而在我国全面实施制造强国战略的宏观背景下，高职教育对接产业链的重心就应当放在对接制造业上，要紧密围绕我国产业振兴战略方向来构建办学与教育格局。高职教育对接产业链，要以适应和配合国家“创新驱动”“结构优化”战略实施为导向。加大创新型人才培养力度，在育人过程中更加注重创新意识、创新思维、创新能力的培养，把创新创业教育摆到更加突出的位置上来；同时，切实面向先进制造业发展、传统产业转型升级的实际需求，提高人才培养规格，培养更多适切未来发展的高素质、复合型人才。此外，各高职院校还要依据自身的办学方向和办学特色，加强技术技能积累，提高人才培养层次，不断提高教育内容输出和社会服务供给的精准性、有效性。①

三、全面贯彻以“双高计划”建设为主线的高质量发展规划

“双高计划”要求集中力量建设一批引领改革、支撑发展、中国特色、世界水平的高职学校和专业群。“双高计划”是继示范校、骨干校、优质校建设之后，国家在深刻分析国内外发展大势的基础上，为满足国内传统产业转型升级需求和以人工智能、物联网、大数据、云计算等为代表的新技术、新经济、新业态发展需求而做出的重要战略部署，也是为建设现代化、高质量、世界一流高职教育做出的重大战略决策。“双高计划”建设是当前及未来一段时间内高职教育实现高质量发展的跳板和方向，新时代高职教育要迈向更高水平、更高阶段，必须全面贯彻以“双高计划”为主线的高质量发展规划。

第一，高职院校要强优势、补短板，全面对标“双高计划”的各项要求和标准。“双高计划”确定了中国特色高水平高职学校和专业建设的总体目标和具体要求，同时明确了重点改革发展任务和组织实施保障办法，是一个系统、全面的高职院校高质量发展指南。全国各地区高职院校应当增强责任感和使命感，积极向

① 周金堂.高等职业教育创新发展的理论与实践探索[M].北京:社会科学文献出版社,2017.

"双高计划"的各项要求和标准看齐，找准自身服务社会经济发展、服务区域产业实践的办学定位和服务定位，做强优势，做出特色，补足短板，争创一流。第二，高职院校要坚持创新引领，积极落实新举措、新办法，开创院校创新发展新局面。"双高计划"继承了"国家示范高职院校建设计划"的一些办法措施，同时又提出了不少新的举措，如打造技术技能创新服务平台、打造高水平专业群、提升校企合作水平等。高职院校要提高办学水平和教育质量，就要紧跟"双高计划"的方向和步伐，积极落实"双高计划"中提出的新办法、新举措，在巩固已有办学与教育成果的同时，进一步探索促进高职教育现代化发展的新路径，开创高职教育创新发展的新局面。

四、坚定以"四个自信"为纲领的职教话语体系建构

强大的社会影响力乃至国际影响力是高职教育高质量发展的重要标志。就国内而言，长期以来，由于我国在高等教育发展过程中更加注重普通本科教育的发展，不论是在政府的重视程度上还是社会的认可程度上，普通本科教育都更胜高职教育一筹，高职教育的社会影响力明显低于普通本科教育。就国际而言，在很长一段时期内，由于我国工业化起步晚、底子薄，职业教育，尤其是高职教育发展程度不高，国际化办学水平也不高，国际高职教育市场主体中罕见中国身影，国际高职教育相关学术研究、交流会议上罕有中国声音，我国高职教育的国际影响力显著低于欧美发达国家。近年来，随着我国综合国力的不断增强，高职教育的整体办学实力、办学水平和教育质量都有了质的飞跃，社会影响力大为提升，在国际职业教育市场上也拥有了一定的话语权。新时代背景下，高职教育要实现高质量发展，就要坚定以"四个自信"为纲领的职教话语体系建构，进一步提升社会影响力和国际影响力。

第一，坚定道路自信。中国特色社会主义道路是历史和现实的必然选择，也是人民的选择，高职教育办学要坚定社会主义办学方向，坚定探索、开辟和发展具有中国特色的高职教育办学道路。第二，坚定理论自信。马克思主义理论是迄今为止最具有深刻性和科学性的社会学、哲学理论，高职教育工作者要坚持以马克思主义理论为指导，不断概括和提炼中国高职教育办学实践经验和成果，形成具有中国特色的高职教育理论。第三，坚定制度自信。高职教育制度是我国社会主义制度的重要组成部分，是在长期的高职教育办学实践中经过不断调整、优化、完

善而建立起来的适合我国社情民情的教育制度，高职教育工作者要坚持制度化、规范化办学，同时要与时俱进，深化制度改革，永葆高职教育活力。第四，坚定文化自信。中国高职教育既从历史中走来，又面向未来发展，高职教育工作者要立足国内、借鉴国外、挖掘历史、面向未来，打造具有民族性、原创性、时代性的高职教育文化，建立具有中国特色、中国风格、中国气派的高职教育文化体系和话语体系。

第四节　高职教育高质量发展的路径

一、聚焦“三教”改革，全面提升高职教育教学质量

人才培养是高职教育最基本的社会职能，人才培养质量是高职教育办学的生命线。高职教育要实现高质量发展，首先要确保人才培养的高质量，即确保教育教学质量。新时代背景下推动高职教育高质量发展，要进一步聚焦“三教”改革，从教师、教材、教法三个方面入手，全面提升高职教育教学质量。①

第一，强化师资队伍建设，全面提高高职院校教师整体素质。教师是教学活动的主导者，是教学计划的实施者，也是学生学习的引导者，在整个教学过程中居于中心地位，高质量师资是高质量教育教学的根本保障。“职教 20 条”专门就提高高职教育师资素质、打造“双师型”教师队伍做出了具体部署，可见师资队伍建设在推动高职教育高质量发展过程中的极端重要性。高职院校要按照“职教 20 条”的要求，创新教师人事制度和管理办法，加强实训基地建设，落实教师轮训制度，构建校企双方人才流通渠道，鼓励教师入企挂职锻炼，促进教师提高专业水平和实践技能，优化教师队伍结构，完善“双师型”教师队伍建设。

第二，加大教材建设管理力度，全面提高高职院校教材品质。教材是知识的载体，是学校教学的基本工具，在整个教学活动开展过程中发挥着不可替代的作用。过去很多高职院校不同程度地存在教材管理混乱、教材编订和选用随意、教材泛滥且质量不高等问题。新时期高职教育要实现高质量发展，必须高度重视教材的编订选用以及监督管理，加大教材建设管理力度，锤炼高品质教材。高职院

① 金正连．职教之声 [M]. 北京：光明日报出版社，2023.

校要落实“职教20条”的要求，优化资源配置，健全专业教学资源库，与行业企业合作开发优质精品教材，同时要贯彻好每三年修订一次教材的制度规范，保持教材内容的动态更新。

第三，加强教育教学方法创新，全面提高高职教育教学效能。21世纪以来，创新在人类文明发展进程中的作用越发凸显，国内外的思想创新、科技创新、业态创新、商业创新层出不穷，带动了教育思想、教育方法和教育手段的创新。新时代高职教育要实现高质量发展，必须紧跟时代潮流，以创新引领发展。体现在具体的教育教学过程中，就是要加强教育教学方法创新。一方面，高职院校要积极运用信息技术改进教育教学方法，建设满足个性化、多样化教学需求的信息化教学环境；另一方面，高职院校要积极借鉴运用好情景教学、案例教学、翻转课堂、项目式教学等新兴教学方法，打造更具有新颖性、现代性的教学体系，全面提高教育教学效能。

二、贯彻“四项方针”，激发职业教育办学活力

制度化、规范化是我国构建现代职业教育体系的基本要求，也是我国职业教育现代化发展的基本方向。新时代高职教育要实现高质量发展，必须走制度化、规范化办学和管理的道路。“职教20条”指出，职业教育要按照“管好两端、规范中间、书证融通、办学多元”的原则来办学。这明确了职业教育制度构建的主要方针，也为高职教育高质量发展指明了制度建设的方向。高职院校要坚决贯彻落实“职教20条”提出的“四项方针”，严把育人关，确保人才培养和输出的高质量。

第一，管好两端是基础。高职院校一方面要加强招生端管理，在做好传统生源招生管理的同时，按照“职教20条”的要求积极拓展招生范围，广泛面向下岗职工、退役军人、退役运动员、农民工等群体进行招生，探索建立适应社会性学员的招生考试办法；另一方面要加强毕业端管理，健全职业教育质量评价机制，完善校政行企多方参与的评价机制，综合考评高职院校毕业生的知识水平、实践技能、职业素养等素质。

第二，规范中间是根本。高职教育人才培养的“中间”就是学生在校期间的整个受教育过程，规范中间就是要推动高职院校教育教学标准化、规范化进程。“职教20条”指出：“要发挥标准在职业教育质量提升中的基础性作用。”高职

院校要按照这一要求，完善专业教学标准、课程标准、顶岗实习标准、实训条件建设标准等规范，并严格按照相关标准来进行教学资源建设，打造高质量、科学化、规范化、可衡量的教育教学资源体系。

第三，书证融通是要点。资历框架建设在很长一段时期内都是我国职业教育发展过程中被忽视的工作，也是当前我国现代职业教育体系建设工作中的一大难点。新时代高职教育高质量发展，必须大力推进资历框架建设，真正实现学历证书和职业技能等级证书互通衔接，解决高职教育书证融通的难题。高职院校要积极配合推进国家1+X证书制度试点工作，积累书证融通相关工作的实践经验，探索建立适切、可操作的书证融通路径和模式并尽快落地实行。

第四，办学多元是方向。“职教20条”明确提出，要用5～10年的时间基本完成职业教育由政府举办向政府统筹管理、社会多元办学的格局转变，可见多元化办学是我国职业教育实现高质量发展的重要方向。要顺利实现这一目标，一方面，各级政府要深化简政放权，减少对高职教育办学具体工作的干预，更加注重对高职教育办学的指导和服务；另一方面，高职院校要深化办学机制改革，主动与行业企业等主体建立合作关系，多层次、多维度地展开合作育人、联合办学。

三、实施“五化同步”战略，为国家和区域发展战略提供有效支撑

新时代高职教育高质量发展是一项综合性系统工程，高职教育要承担起自身的历史使命，充分发挥高职教育的社会价值，同时必须实施“五化同步”战略，为国家战略提供强有力的支撑，为区域社会经济发展提供更多助力。

第一，实施“本土化”战略。“本土化”就是高职院校要立足当地，把服务区域社会经济发展作为办学的基本导向。高职院校要切实推进教育资源与区域产业融合，引导本校专家、教师、学生融入和服务地方社会经济建设，推动职业教育进社区，为更广大的人民群众提供教育服务和培训。同时，高职院校还要充分发挥自身的智力优势、专业优势、技术优势和科研优势，为地方社会经济发展战略提供更多支持，如参与教育精准扶贫、下岗职工培训、地方信息化建设等。

第二，实施“一体化”战略。“一体化”就是地方政府统筹协调职业教育资源，推动中职与高职、高职与高职的一体化发展。“一体化”包含两方面的内涵：一是要贯通中高职衔接通道，促进中高职教育资源的对接，优化技术技能人才培养

体系，提升人才培养规格；二是要创新地方高职教育发展体制机制，促进区域高职院校之间的办学合作，鼓励高职院校“抱团发展”，共建共享优质教育资源，通过实施“一体化”战略，做优、做大、做强地方高职教育。

第三，实施“精准化”战略。“精准化”包含两方面的内涵：一是高职教育资源建设要精准对接区域产业发展实际需求；二是高职教育服务供给要精准契合受教育者的成长成才需要。前者要求高职院校精准定位办学目标、精准设置专业、精准确定专业教学标准与课程标准，实现教育供给与产业实践的高度融合；后者要求高职院校精准遴选教学内容、精准制定教学方案、精准提供学习资源，为学生个体成长成才提供最有利的保障。

第四，实施“智慧化”战略。“智慧化”就是要充分运用现代智能技术、信息技术武装高职院校，促进高职教育管理和教学的现代化、尖端化。高职院校一方面要加大投入力度，构建网络化、数字化、智能化教育教学平台，升级传统教育教学体系；另一方面要大力推进“智慧校园”建设，全面建立智能感知环境和综合信息服务平台，为广大师生提供更加精准、便捷的个性化、柔性化管理服务。

第五，实施“国际化”战略。“国际化”已经成为现阶段我国高职教育现代化发展的必然选择，同时也是高职教育高质量发展的内在要求。高职院校要主动服务国家“一带一路”倡议以及“构建人类命运共同体”“持续扩大对外开放”等战略，推动办学理念、管理模式、教学内容和师资队伍的国际化，培养更多具备国际视野、通晓国际事务的高素质技术技能人才。同时，高职院校要加强与“一带一路”周边国家和地区的职业教育交流与合作，积极参与国际高职教育事务，在国际职业教育市场上彰显中国影响力，为世界职业教育贡献中国方案。

四、落实“类型特色”定位，推动高职教育特色高水平发展

改革开放以来，尽管我国职业教育取得了跨越式发展，但在办学理念、办学模式、教学体系等方面一直参照普通教育，掩盖了职业教育本身的特色，导致职业教育供给与社会经济发展实际需求脱节。为了从根本上扭转这一局面，“职教 20 条”明确指出：“职业教育与普通教育是两种不同教育类型，具有同等重要地位。”“职业教育要由参照普通教育办学模式向专业特色鲜明的类型教育转变。”“职教 20 条”为职业教育落实“类型特色”定位提供了政策依据，也为职业教育特色化办学指明了方向。高职教育具有跨界性、开放性、专业技术性等特

色，新时代高职教育要实现高质量发展，必须遵循职业教育的发展规律，充分体现高职教育的类型特色。

第一，高职教育要彰显产教融合的办学特色。产教融合是职业教育跨界性的主要表现，更是现阶段我国高职教育发展的重要方向。高职院校要贯彻落实《国务院关于加快发展现代职业教育的决定》《国务院办公厅关于深化产教融合的若干意见》“职教 20 条”等系列政策文件的精神和要求，立足当地区域产业发展实际办好特色优势专业以及专业群，推动优质高水平产教融合实训基地建设，促进专业建设、课程内容与产业需求对接。

第二，高职教育要彰显校企合作的人才培养特色。开放性是高职教育的重要特征，高职教育人才培养要契合企业实际用人需求，必须走校企合作育人的道路，加强培养学生实践技能和职业素养。同时，高职院校要转变办学理念和人才培养理念，实行开放式、社会化办学，探索建立校企合作长效机制，共建共享教育教学和职业技能培训资源，优化人才培养结构和过程，促进校企文化融合、制度融合，全面实现校企联合育人的目标。

第三，高职教育要彰显工学结合的教学特色。技术技能教育是职业教育的主要内容，技术性是职业教育最突出的特性。高职教育要培养实用适切的技术技能人才，必须狠抓技术技能教育根本，不断夯实技术技能教育基础，尤其是要通过工学结合来提升学生的技术技能实操能力。一方面，高职院校要进一步提升实践教学环节在专业教学体系中的比重，完善校内实训基地设施和功能，提高实践教学水平和质量；另一方面，高职院校要依托校企合作，创造条件输送学生到企业实习实训，让学生在真实工作情境中提高实战能力。

第四，高职教育要彰显知行合一的育人特色。知行合一是教育的基本要求，也是职业教育的内在要求。高职教育要贯彻党的教育方针，落实立德树人根本任务，坚持知行合一的教育理念，不仅要在校园文化构建、校内媒体宣传、课堂教学等环节弘扬社会主义核心价值观和“工匠精神”，还要在日常学习生活过程中尤其是实习实训中督促学生践行社会主义核心价值观和“工匠精神”。

第三章　高职教育高质量发展的关键

第一节　增强职业技术教育适应性

党的十九届五中全会审议通过的《中共中央关于制定国民经济和社会发展第十四个五年规划和二〇三五年远景目标的建议》（以下简称《建议》）为我国“十四五”期间乃至未来十五年的发展描绘了蓝图、指明了方向，体现出党中央立足新发展阶段、贯彻新发展理念同构建新发展格局相统一，坚持高质量发展、打造高品质生活同实现高效能治理相贯通，推进更深层次的改革、实现更高水平的开放同建设更强韧性的社会相衔接的顶层设计理念。《建议》特别强调“加大人力资本投入，增强职业技术教育适应性”，这是党中央从经济社会全局出发对职业技术教育发展做出的新论断。

一、增强职业技术教育适应性是构建新发展格局的必然要求

《建议》要求，“十四五”时期应加快构建以国内大循环为主体，国内、国际双循环相互促进的新发展格局，这对增强职业技术教育适应性提出了需求与挑战。在畅通国内大循环、打造开放的国内国际双循环的新发展格局下，教育、研究、人力资本、制度环境等因素在经济发展过程中的重要性日益凸显。职业教育是面向人人的教育，经济社会越发展，越需要高质量的职业教育。高职院校要以提高专业化人力资本的积累水平为目标，进一步释放教育创新与服务潜力，彰显职业技术教育在国家社会经济发展中的基础性作用。

二、增强职业技术教育适应性是建设现代化经济体系的基础环节

职业教育是现代大工业生产的产物，与经济社会发展紧密相关。因此，增强职业技术教育适应性不仅是教育问题，还与经济工作有着直接而密切的联系。

职业教育关系到亿万劳动力的就业，既是教育问题，也是经济问题，更是重大的民生问题。高职教育不仅要满足作为职业世界的企业的要求，还要满足受教育者作为个体发展的需要。随着我国进入新的发展阶段，产业升级和经济结构调整不断加快，各行各业对技术技能人才的需求越来越紧迫，职业教育的重要地位和作用越来越凸显。但当前我国职业教育存在不足，各地各校普遍在促进产教深度融合、增强职业技术教育的适应性、完善治理结构、提升治理能力等方面还存在着不深入、不到位的情况。“在‘十四五’期间，职业教育要‘长入’整个经济中去，成为经济活动的内生变量，构成产业链、产品链、供应链、资金链、信息链的‘砖瓦’和基本要素”，使职业教育成为促进我国经济高质量发展的一支重要力量。①

三、增强职业技术教育适应性是建设高质量教育体系的应有之义

“职教20条”强调，没有职业教育现代化就没有教育现代化。“十四五”期间，建设高质量教育体系必须大幅提升职业教育现代化水平和服务能力。作为国民教育体系和人力资源开发的重要组成部分，高职教育以培养多样化人才、传承技术技能、促进就业创业为己任，以服务发展、促进就业为导向。增强职业技术教育适应性，首先要依托于产教融合。产教融合的共享价值形成行为标准，引导相似的行动，这种持久且稳定的融合是结构性的。其次要建基于校企合作。校企合作是高职教育办学模式和人才培养模式的重要特征，合作发展、合作育人、合作就业、合作办学是高职院校办学的重要路径。最后要服务于人才培养。作为一种教育类型，人才培养是职业教育的核心职能，承载着崇高的教育价值。

四、增强职业技术教育适应性是建设高素质劳动大军的必由之路

1999年，第二届世界职业教育大会的报告指出，培养合格技术员和熟练、半熟练劳动者的技术和职业教育与培训应该是所有国家发展日程的一个重要组成部分。长期以来，我国经济发展中最缺乏的是技术人才和熟练工人，尤其是在向效率

① 薛敏霞.职业教育的现实困境与突围路径研究:基于个体能动的视角[J].中国人民大学教育学刊，2025（3）：1-14.

驱动型经济增长模式加速转变背景下，这一问题更加突出。当前，我们面临的问题是：工业社会向信息时代转型的过程中，传统的工作形式及对工作的准备过程发生变化，这对于劳动者从体力劳动技能向脑力劳动技能转变提出了新要求。在贯彻落实《建议》的过程中，高职教育要坚持以深化供给侧结构性改革为主线，在新技术革命条件下转变发展方式，实施创新驱动发展战略，提升发展质量，通过推动人才供给侧改革，促进技术技能积累，实现人力资本的最优配置。

五、增强职业技术教育适应性的探索与实践

对增强职业技术教育适应性的讨论，并不只是一种单纯的学术讨论，对增强职业技术教育适应性的观察及经验均来自实践。以浙江金融职业学院为例，浙江金融职业学院是全国首批示范性高职院校、浙江省重点建设高职院校和中国特色高水平高职院校建设单位，自升格高职办学以来就积极开展增强职业技术教育适应性的探索，并取得了一定的成绩。

（一）贯彻“六业贯通”人才培养理念

浙江金融职业学院坚持办“特色鲜明、人民满意、师生幸福”的高职教育，将“就业立校、服务强校、合作兴校”作为办学方针，把职业教育的“产业、行业、企业、职业、实践”五要素概念模型全面融入人才培养之中，探索形成“办好专业、强化职业、注重学业、重视就业、鼓励创业和成就事业”等“六业贯通”的人才培养理念，将学校办学和专业建设立足在根植产业、依托行业、融入企业、强化职业的关系链之中，并将培养实践能力贯穿始终，在推进校企合作中实现协同育人。在学校办学实践中，适时将市场思维和企业管理理念引入，特别是在推进校企合作的过程中，将具体决策的权力释放给相关参与治理的群体，使其得到适当的授权和制度的激励，从而更好地保障人才培养随经济发展方式转变而“动”，跟着产业调整升级而“走”，围绕企业技能型人才需要而“转”，适应市场需求变化而“变”。

（二）打造校内生产性实训基地

浙江金融职业学院打造了全国唯一的校中行——浙商银行总部客服中心，并设有本校银行客服实训基地。浙商银行总部客服中心落户学校是建立新型行校合作关系、推进产教融合的创新举措；实训的课时安排、实训场地的功能分布、学

生录用等具体方案由产教科教双融合主体联合确定，对创新人才培养模式具有深远意义。在未来，学校将继续加强与行业企业合作，做实、做精、做大，不断扩大学生参与度和受益面，培养优质银行客服人才。

（三）建设应用技术协同创新中心

浙江金融职业学院以跨境电商综合服务应用技术协同创新中心，服务万亿金融产业产学研协同创新中心等国家级、省级和校级协同创新中心为载体，构建校、政、行、企、会合作办学和协同育人机制，积极助推产教融合工作；以服务万亿金融产业产学研协同创新中心为平台，推进浙江地方金融发展研究院建设。组织普惠金融发展与浙江乡村振兴、金融支持浙江实施“一带一路”倡议、金融发展支持高质量增长与风险防范等课题研究，建立以研究成果为指标、以激励为导向的考核制度，建设以校内教师为主、以校内柔性引进领衔专家为支撑的研究团队。以浙江省跨境电商综合服务应用技术协同创新中心为平台，推进应用技术研发团队建设，支持柔性引进或聘任研发人员进入协同创新团队。

（四）注重技术技能积累和运用

浙江金融职业学院围绕浙江省产业创新服务综合体建设，进一步加强以“专业应用技术协同创新、行业企业员工培训、企业资信评估”等为核心服务的技术技能积累与应用平台建设；大力推进省级和校级协同创新中心建设，支持校企合作开展应用技术协同研发、智库建设，鼓励软件著作权、专利技术等应用技术成果转化；支持相关部门、二级学院联合企业、科研院所围绕产业发展需求开展协同创新，依托大金融产教融合共同体、社会服务有机体、高职金融教育综合体，共建共创共享技术技能积累和社会服务的省级及以上协同创新中心、国家实验实训基地、省级实验实训基地和校外实习基地、紧密型产学合作基地，推动成果转化和服务社会。

（五）提升校办企业服务能力

浙江金融职业学院发挥学校专业和人才优势，探索推广“互联网＋职业培训”线上线下结合的教学方式，建设特色化、专业化职业培训平台和移动客户端，不断提升浙江金苑培训中心在企业职工在岗教育培训、学历进修等方面的服务水平，广泛吸引各级政府和各类行业企业向学校购买服务。推进杭州资信评估公司，浙江众诚资信评估有限公司建设，发挥学校专业优势，全面实施“企业评级服务工程”，为机构、企业提供优质评级服务。

（六）实施校友千花盛开工程

浙江金融职业学院本着主动换互动、真心换真情的理念，实施校友千花盛开工程，并将这种理念内化为文化，成为师生共同的实践行为。此外，学校健全并完善以校友为主体，以“学校校友总会，金融教育基金会”为载体，充分运用校友力量推进产教融合工作，鼓励校友参与大创小镇建设，引导校友企业与学校建立紧密型产学合作关系，形成学生在学校学习、进企业实践、获校友指导的创新互动的良好生态。

综上所述，高职院校要不断增强职业技术教育适应性，并继续坚定不移地沿着与“构建新发展格局”“建设现代化经济体系”“建设高质量教育体系”“建设高素质劳动大军”互动发展的道路继续前进，以推进高职教育高质量发展。

第二节　增强职业技术教育认同度

一、高职教育认同度不高的主要表现

（一）选择高职院校依然是一种无奈之举

受现有的教育制度影响，在对于学校层次的认同上，学生依然以本科院校为首选，重点大学更是每一个高中生梦寐以求的“圣地”，主动报考高职院校的学生却寥寥无几，根据不完全统计，报考高职高专院校的学生还不到学生总数的5%，表明家长与学生对于报考高职院校的意愿偏低。进入高职院校的学生大多对于高职院校在思想深处缺乏认同感，多数情况是因为报考本科院校落榜后，不得不带着失落的心情选择高职院校。由此可见，选择高职院校往往是学生和家长的一种无奈之举。

（二）校企合作实效性不强

从现阶段校企合作的实际情况来看，大多数校企合作是学校主动去寻求企业，而企业主动找上门来与学校展开合作的却非常少。即便是实现了校企合作，企业的合作动机也大多是凭借私人感情，甚至认为与学校合作对于企业生产的帮助不是很大，学校人才的培养应该是相关政府职能部门的事，企业没有太多的义务与学校展开合作、帮助学校培养相关的人才。因此，一厢情愿的校企合作，难以达到预期的合作效果，校企合作的实效性不强。

（三）社会对于高职教育缺乏应有的认同

从目前情况来看，社会对高职院校的认同度同样偏低，对高职教育的了解局限于内部人士，社会上对高职教育理解依然停留在单纯的职业教育范畴，认为高职教育只是职业化教育较高层次的部分，没有将高职院校视作大学。在社会的宣传领域，也常常传播“高职院校就是单一的职业教育”这一错误观念。这些因素都在客观上影响了高职院校的社会认同度。

二、高职教育认同度提升的策略

职业教育关乎国计民生。加快经济发展方式转变，推动产业结构调整，提升我国工业企业在国际上的竞争力需要大批高素质技术技能人才，实现中国特色新型工业化、信息化、城镇化、农业现代化同步发展需要大批高素质技术技能人才，全面建成小康社会需要大批高素质技术技能人才。无论从哪个角度讲，以培养高素质技术技能人才为己任的高职教育都显得非常重要，我们必须从国家战略高度深刻认识发展高职教育的重要性和紧迫性，政府、社会、企业以及高职院校等各方都需要加快行动，积极努力，不断提高高职教育的社会认同度，真正让人民大众认可高职教育，吸引更多优秀学生选择高职教育，从而更好地服务于国家战略。

（一）大力开展示范高职院校的建设

我国开展示范高职院校建设工作已历经多年。示范高职院校建设能更好地促进我国高职院校建设工作的全面发展。该项工作的开展，提高了社会对于高职院校的认同度，对高职院校增加吸引力起到了显著的作用。该项工作开展以来，报考这类高职院校的学生人数逐年增加，许多报考这类学校的学生都将其作为第一志愿，并且这类院校的录取分数线有了明显提高，相关的行业企业对这类院校的支持率与认同度也明显提升，用人单位的满意率也明显提高。示范类高职院校的建设有力地促进了高职教育认同度的提升，这对于促进高职教育的发展具有重要的意义。

（二）以就业准入制度的强化促进高职教育认同度的提升

在发达国家，职业准入的门槛很高。一些国家规定，没有经过正规的职业教育，就不能获得被认可的职业资格证书。而在我国，职业准入的门槛较低，即使没有经过正规的职业教育也可以获得职业资格，这在客观上削弱了高职教育的作用，进而导致高职教育难以获得社会的普遍认同。

（三）进一步完善和创新推进职业教育发展的体制机制

教育是公益性和普惠性的事业，寄托着亿万家庭对美好生活的期盼。当前，国家正努力实现教育的优化发展、协调发展和公平发展。在现行的教育体系中，职业教育仍然是薄弱环节；在高等教育中，高职院校依然处于弱势地位。职业教育的弱势地位与其重要性极不匹配，这种状况的主要原因在于国家的相关体制机制，然而完善和创新有利于职业教育发展的体制机制并不是教育主管部门一家能完成的任务，只有通过党委、政府及其多家职能部门乃至全社会共同努力才能扭转困境。

首先，相关部门要科学规划，快速推进构建现代职业教育体系。我国高职教育可大胆借鉴德国、加拿大、瑞士等职业教育发达的国家，搭建职业教育的“立交桥”。形成从中职到高职（专科）到本科到硕士乃至博士的学历提升通道。令人庆幸的是，教育部已启动了相关工作，2013 年 4 月 15 日出台的《教育部关于积极推进高等职业教育考试招生制度改革的指导意见》（教学〔2013〕3 号）就是推进职业教育改革的第一信号。但高职院校的招生考试决不能为了解除高职的“生源危机”放低标准，而是要与普通高考同步进行，保持与普通高考一样的权威性和严肃性。只有这样，高职教育才能在社会上产生好的导向作用，吸引更多的优秀学生选择高职院校。

其次，政府在给高职院校压力的同时，也需要提升高职院校的待遇和地位。要借助构建现代职业教育体系的契机，落实高职院校生均拨款与本科院校的“同等标准”。客观地讲，高职院校的培养成本比一般本科院校更高，高职院校普遍存在经费不足的窘境，经费不足已成为影响其发展的“瓶颈”，此问题政府必须重视和解决。同时，中国的高校存在级别之分，虽然这种级别带来的“行政化”存在弊端，但在中国的社会环境和高校管理现行体制下，级别对学校而言不可小视，大学行政级别被老百姓看作国家对大学的重视程度，对于本来就不被社会重视和认同的高职院校来说行政级别显得更为重要。既然本科院校有副部级、正厅级，高职院校同样可以给予这样的级别待遇，对于国家示范（骨干）院校可以考虑级别的提升，给予级别待遇既是对高职院校的激励，也是提升高职教育社会地位的有效手段。

最后，党政机关及其职能部门在制定相关政策时要杜绝对高职专科生的“歧视”。例如，公务员招考、“村官”选拔、职称评定、城市户口落户等，要及时重新修订相关条款，给予高职专科生同样的机会。既然高职院校属于高等教育系列，高职学生属于大学生群体，就不能将其分为三六九等，这些人为的政策“歧视”产生了严重的负面导向，进一步加深了社会对高职教育的轻视。党政机关及其职能部门，尤其是领导干部，不能老在口头上强调职业教育多么重要，而要拿出“真金白银”，采取得力措施，真正推进职业教育发展。

（四）进一步宣传和营造“尊重劳动、崇尚职业、重视职业教育”的社会氛围

愈演愈烈的“拥抱资本、疏远劳动、轻视劳动者”的不良现象，不仅极大程度地影响职业教育的吸引力，而且极大程度地影响到整个社会风气，必须引起高度重视，尽快加以扭转。

首先，政府要进一步重视劳动者，让“劳动光荣”价值观深入人心。“中国梦”的实现需要一代代千千万万的劳动者，特别是广大的工人、农民的辛勤劳动。我们要在全社会广泛深入地宣传“劳动光荣”的价值观，让孩子从小就懂得热爱劳动、学会劳动，让成年人乐于劳动、尊重劳动，需要政府更进一步重视劳动者。特别是要给工人、农民创造更好地劳动环境、福利待遇、社会保障和政治待遇，为他们创造更多的提升通道和发展空间，让工人、农民过上更加体面的生活，真正让劳动者有地位、有尊严。

其次，家庭要履行“尊重劳动、崇尚职业”的教化责任。家庭教育影响孩子的一生，家长不能过度溺爱孩子，要从小培养孩子劳动的习惯，帮助孩子树立“热爱劳动、尊重劳动、劳动光荣、懒惰可耻”的观念。改变传统的成才观念，践行“三百六十行，行行出状元”的古训，鼓励孩子学习和掌握技术技能，积极投身劳动实践，科学规划孩子未来的职业发展道路。

最后，社会媒体要广泛宣传，营造职业教育的良好舆论环境。高职教育作为

一种新兴的教育类型，需要得到社会的广泛了解和认同。媒体，尤其是中央和国家级的主流媒体要从国家战略的高度认识到职业教育的重要性，从而对高职教育多一份关注、多一份关爱，加大宣传力度、创新宣传手段，积极为职业教育的改革发展贡献力量。

（五）进一步促进企业自身的创新以及参与职业教育的积极性

我国大型企业实力强、管理规范、薪酬较高，然而大型企业一般都不青睐高职毕业生，与高职院校共同开展校企合作的积极性也不高。中小企业虽然参与校企合作的热情相对较高，但普遍存在科技含量较低、管理不够规范、工作强度大、薪资福利无保障、企业员工缺乏归属感等问题。这种状况导致校企合作大多处于低水平，高职毕业生与中职毕业生甚至与农民工无差别，极大程度地削减了高职教育在人们心目中的地位。

国家应该出台政策鼓励和促进企业参与校企合作，政府要搭建校企合作平台，形成校企合作长效机制，要求大型企业必须参与职业院校人才培养工作，通过高职院校与大型企业人员交流与互聘等方式，如从大型企业选聘高管或技术精英到高职院校担任领导职务或技术专家，以此促进大型企业在职业教育中发挥更大的作用。大型企业也应该从履行社会责任和企业人才储备的角度出发，积极参与职业教育，共同培养高素质技术技能人才并接收就业，与职业院校在人才培养、技术研发等各方面实现合作共赢。

国家要进一步给予中小企业扶持，促进企业生产转型升级，即从低附加值向高附加值升级、从高能耗高污染向低能耗低污染升级、从粗放型转向集约型升级。中小企业需要加快进行改革创新，建立科学的人性化的企业管理体制，创造安全舒适的工作环境，完善富有吸引力的薪酬福利待遇制度，加强企业文化建设，提升企业科技创新能力，将人才视为第一生产力，为人才提供更多的公平的晋升通道，吸引更多的高职毕业生投身中小企业的事业发展中，为企业的发展壮大、改造升级作出贡献。

（六）进一步加强职业院校内涵建设，切实提升人才培养质量

“打铁必须自身硬”，高职院校要获得社会的认可和好评，就必须以提高质量为核心，以增强特色为重点，坚持走内涵式发展道路，切实提升人才培养质量。

首先，要扎实做好人才培养工作。按照适应经济发展方式转变、遵循职业教

育规律等要求，进一步完善和创新校企合作的办学模式以及工学结合的人才培养模式改革，积极参与现代职业教育体系建设，致力于构建技术技能人才培养“立交桥”。围绕产业结构调整和优化升级的需要，深入开展人才需求状况调研分析，不断优化专业结构，调整专业布局，形成更加符合区域经济社会发展需要的专业设置。进一步加强师资队伍建设，推动“双师型”教师向“三高型”教师转变，即学历高、技能高、科研水平高。要与企业加大共建实训基地工作力度，切实发挥实训基地作用，大力推进学习领域课程建设、工学结合课程实施、行动导向的教学方法、手段和考核方式改革以及校本教（学）材建设。要构建科学的高职教育教学的考核评价体系，不断强化人才培养过程管理，全面提高人才培养质量和办学水平。

其次，要深入推进科学研究工作。科学研究是高等教育的重要职能之一，高职教育是高等教育的重要组成部分，搞好科研工作不仅必要，而且特别重要。科研工作不仅是高职教育的基本职能，而且是高职院校自身发展的内在需求、深化教学改革的重要支撑、提高师资队伍水平的基本途径。高职院校要以应用技术研究和教育科学研究为主。其中，应用技术研究是高职院校科研工作的重点，人才培养规律研究是高职院校科研工作的中心。高职院校只有完成产学研结合，在科技创新方面作出突出贡献，才能体现其应有的类型和层次特征，才能赢得社会的认同和尊重。

再次，要大力开展社会服务。职业教育需要着力解决好为谁服务、以什么去服务、怎样服务的问题。高职院校与区域产业行业联系最为密切，为地方经济发展服务是其首要任务，其社会服务的内容是育人服务、科技服务、文化服务的统一，其社会服务的途径主要通过产教结合。在构建现代职业教育体系的新形势下，高职院校必须坚持以人为本，树立终身学习、人人学习和多样化学习的观念，结合技术进步和产业升级对职工技能水平的要求，积极开展在岗和脱产等多种形式的职业培训，大力发展创业培训和现代远程教育，以满足社会的需求。此外，高职院校还需加快专业自主学习平台建设，构建社会服务团队体系、服务平台体系、服务项目体系，搭建本科及以上学历层次的成人教育平台，满足在校学生或社会人员学历提升的需求。

最后，要着力加强校园文化建设。校园文化是指学校所具有的特定精神环境和文化气氛，包括精神文化、环境文化、行为文化和制度文化等内容。高职院校需要塑造新型的校园文化，需要“开放办学”的理念、改革创新的精神、生动活泼的局面、严谨治学的态度和现代企业制度，还需要拥有优美的校园环境、深厚的人文底蕴、浓郁的产业文化，实现“教书育人”“管理育人”“服务育人”“文化育人”。以丰富多彩的素质拓展教育活动为载体，在高雅文明的校园文化氛围熏陶下，进一步提升高职院校师生的自我认同和思想境界，对外充分展示高职院校师生良好的精神状态和面貌，从而提升高职教育在社会上的认可度和美誉度。

三、以高职教育层次的提升促进高职教育认同度的提升

现阶段，社会对高职教育的定位一直没有超出职业教育的范围，无论怎样理解，都习惯于把高职教育等同于专科教育，将高职教育的层次看得相对较低，这严重地影响到高职教育的发展，不利于提升高职教育认同度。因此，国家要重视提升高职教育层次的工作，出台相应的政策，以此提高社会对高职教育的认同度。

开展高职教育认同度提升的研究对促进高职教育的发展具有重要作用，我们应该看到，现阶段社会对高职教育的认同度还不是很高，因此，如何提升高职教育的社会认同度是每一个高职教育工作者应该认真思考的问题。

第三节　增强职业技术教育影响力

职业技术教育在现代社会中的重要性日益凸显，尤其是在经济全球化发展和科技迅速演变的背景下，职业技术教育不仅为经济发展提供了必要的人才支撑，还为个人职业生涯的发展开辟了广阔的空间。然而，近年来，职业技术教育在社会认知、政策支持和行业适应性等方面仍面临诸多挑战。因此，增强职业技术教育的影响力已成为当前教育改革的重要课题。

一、增强职业技术教育影响力的必要性

（一）支持经济发展

制造业、服务业等行业迅速发展，对人才的需求也随之向高技能和专业化方向转变。职业技术教育能够提供符合市场需求的人才，促进经济的持续发展。

（二）满足个人发展

越来越多的年轻人希望通过职业技术教育实现个人价值。与传统高等教育相比，职业技术教育能够提供更灵活的学习方式和更多的实习机会，帮助学生获得实际技能，提升就业能力。

（三）促进社会和谐发展

职业技术教育的普及和发展能够有效降低社会的不平等，提供更多就业机会，促进社会的和谐与稳定。通过职业技术教育，更多人能够实现自我提升，从而推动整体社会素质的提高。

二、增强职业技术教育影响力的策略

（一）加强社会认知，提升职业技术教育的社会地位

职业技术教育是国家经济发展与社会进步的重要基石。然而，当前社会对于职业技术教育的认知普遍偏低，许多人仍然将其视为“二流”教育，致使年轻人对于选择职业教育的前景产生顾虑。为了解决这一问题，需要加强宣传、推广职业技术教育，营造良好的社会氛围。加强社会认知的首要措施是通过多种渠道宣传职业技术教育的价值，如通过媒体、网络、社区活动等，广泛传播成功的职业教育案例及职业技术教育毕业生的就业率、薪资水平以及在社会经济发展中的贡献，有效提升公众对职业技术教育的认同感。

高职院校可以举办职业教育宣传周、职业技能大赛等活动，以吸引青少年及家长的关注。学校通过这些活动，不仅能够展示职业技术教育的实际效果，还能让学生和家长直观地感受到职业技能的重要性。此外，还可以邀请行业专家、成功校友等分享立志故事，激励年轻一代追求职业技能，提高社会对职业教育的认可度。

同时，学校、企业及政府也应齐心协力共同举办“职业教育日”或“职业技术教育周”活动，鼓励企业与学校合作，让学生亲身体验职业技能的魅力。这种互动形式不仅能够增加学生对职业教育的信任感，还能增强他们对未来职业发展的信心。

高职院校应积极参与社会服务，定期开展公益活动与技能培训，向社会传递职业技能的重要性并回馈社会。这不仅能够提高职业教育的影响力，还能够提升

高职院校的社会责任感和公信力，从而引导更多学生选择职业技术教育。

（二）深化课程改革，提升职业技术教育的实用性

为了增强职业技术教育的影响力，深化课程改革是至关重要的。职业技术教育课程的设置应更加贴近市场需求，以保证学生所学技能能够与企业需要高度契合，从而提高学生的就业竞争力。

首先，职业技术教育应加强与企业的合作，使学生能够及时了解行业发展动态和岗位技能要求。学校应设立行业咨询委员会，邀请相关企业代表参与课程开发工作。通过定期的行业对接会议，确保课程内容的更新和优化，让学生学习到最新的理论和实操技能。

其次，课程内容应更具实用性。理论与实践相结合是职业技术教育的核心理念。高职院校应引入项目式学习、情境模拟等教学方法，通过实际案例引导学生进行实操训练，增强学习的趣味性与实用性。例如，学生可以通过参与真实的项目，锻炼团队合作与问题解决能力，为未来的工作做好准备。

再次，职业教育体系内应建立多层次的职业资格认证体系，增加学生和家长对课程的重视程度。不同职业领域应结合社会需求设立相应的职业等级考试，提供多样性的职业技能证书，这将有效激励学生学习的积极性。同时，具有职业资格证书的学生在就业市场中的竞争力将大幅增强，从而提升职业技术教育的影响力。

最后，加强师资队伍建设是深化课程改革的重要环节。学校要培养既有实践经验又具备教育能力的“双师型”教师，鼓励教师定期到企业进行实践锻炼，将最新的行业动态带回课堂。同时，教师还需不断提升自身专业知识，通过培训、进修等方式提高自身的教学水平，确保课程长期保持高质量。

（三）强化校企合作，促进职业技术教育与产业发展的联结

在当前经济快速发展的背景下，职业技术教育与产业之间的合作越来越重要。加强校企合作，既能为学生提供实习与就业机会，也能有效提升职业技术教育的实际效果，从而提升其社会影响力。

首先，要建立健全校企合作机制。高职院校应与各类企业建立长期稳定的合作关系，共同制定培养方案与课程设置。通过实习基地实习、订单式培养等方式，让学生在校期间就能够接触到真实的工作环境和业务流程，提升他们的实际工作能力。这种合作模式不仅能让学生受益，还能帮助企业培养符合自身需求的人才，

达到“双赢”的效果。

其次，校企合作还应体现在创新创业教育上。许多接受职业技术教育的学生对未来的职业发展充满焦虑，校企合作可以为他们提供更多的创业资源和支持。高职院校可以借助企业的技术、资金支持，设置创新创业课程，培养学生的创新意识和创业能力，增加他们的就业选择。

再次，校企合作还应注重国际化。随着全球经济一体化的发展，高职院校应积极与国外院校及企业开展合作，吸引外籍专业人才和先进技术，提升教育质量。通过交流互访、合作办学等方式，拓宽学生视野，加强国际化职业技能的培养，为学生提供更为广阔的就业前景。

最后，定期评估和反馈校企合作的成果。高职院校应与企业共同评估学生的实习效果与表现，并据此调整教育方向和课程内容，以适应行业变化和市场需求。建立数据指标与评价体系，可以更好地指导校企合作的深化与发展，提升职业技术教育的适应性与竞争力。

三、借鉴国际职业技术教育经验

（一）德国双元制职业教育体系

德国的双元制职业教育因其高效性而受到广泛赞誉。该体系强调学校与企业的紧密合作，学生在企业实习的同时接受理论学习。这一模式不仅提高了学生的实际操作能力，而且增强了毕业生的就业竞争力。

（二）新加坡的职业教育改革

新加坡近年来不断改革职业教育制度，推出的“技能未来”计划致力于将职业教育提升到新的水平。这一计划包含课程内容的全面更新、学习方式的转变以及对教育机构的全面评估，旨在满足快速变化的市场需求。

在经济快速变化和社会多元化的今天，增强职业技术教育的影响力是为了推进教育公平，更是为了满足经济发展和社会进步的需要。我们通过提升社会认知、加强政策支持、优化课程设计以及借鉴国际经验等多方面的努力，有望为职业技术教育的发展注入新的活力。未来的职业技术教育将在提升个人竞争力、促进社会和谐、推动经济发展等方面发挥更大的作用。

第四节 增强职业技术教育吸引力

职业技术教育在开发劳动力资源、提升职业技能以及促进经济社会发展中占据着关键地位。但在现实中，职业技术教育与其他形式的教育相比，无论是社会声望还是社会形象都不尽如人意，难以吸引更多更好的学生接受职业技术教育，严重影响了职业技术教育的可持续健康发展。增强职业技术教育的吸引力、提升职业技术教育的社会形象在未来必将成为职业技术教育发展的中心议题。

一、职业技术教育吸引力研究

职业技术教育的吸引力是职业技术教育的社会地位、社会声望、社会经济处境及其社会评价的集中体现。相对于普通教育来说，职业技术教育对于学生及其家长的吸引力都明显偏低，并且在不同的社会群体中表征不同。就目前中国总体而言，造成职业技术教育缺乏吸引力的主要原因有四个：一是市场经济发展强化了社会分层，进而强化了高学历的社会地位“含金量”，强化了人们对高文凭的追求；二是高等学校大面积扩招推动高等教育进入大众化阶段，职业教育文凭的社会地位“含金量”弱化；三是传统的教育发展观尤其是升学热，使大力发展职业教育政策的执行难以到位；四是职业教育的办学条件和人才培养质量难以满足经济社会的要求，社会地位不高。

较早的实证分析揭示出人们基于个体的收入水平而对职业地位和职业声望加以排序、分类，形成某种职业特定的社会价值。Ganze-boom&Treiman 指出，劳动分工是造成社会不平等的核心因素，是社会分层的主要维度。Hope 认为合法的经济回报是构成职业声望的重要来源，选择职业技术教育为个体发展提供了基础性社会声望。

社会学家们认为，一个有社会声望的职业领域和良好的薪酬保障对人能够产生吸引力。就个体而言，良好的职业声望建立在不断增加的就业前景、较高的薪酬以及自我实现的可能性基础之上；反之，一些涉及健康风险的工作岗位和职业只能带来较低的社会声望。Lamont 认为，阶层依然是法国和美国劳工生活的一个重要基础，他们对自身地位的认识建立在“上位人”和“下位人”的比较基础之上，并通过社会价值测量来辨析社会地位中的道德价值和尊严。

lannelli 指出，家庭背景等社会根源会影响年轻人对于教育和职业的选择，父母的教育成就与其孩子的职业地位密切相关，父母只受过较低水平教育的那些年轻人与父母接受过高等教育的年轻人相比在获得首个重要工作岗位前要等待更长的时间，而且具有不同社会背景的年轻人一般会取得相应不同的职业地位。

Parson 等认为，从事职业技术教育的教师地位也会对职业技术教育的总体社会地位产生影响。尊重自身的工作并拥有广泛职业胜任能力、从事职业技术教育的教师队伍是建构有声望的职业技术教育体系的基础。此外，提高职业技术教育的吸引力也能够引发人们对于职业技术教育与普通教育之间社会声望平等的探讨。

社会声望平等是指在文化、社会以及种族多样化的群体里的所有公民都感受到尊严的一种公正、稳定的政治秩序。在职业技术教育和普通教育之间促进社会声望平等已经成为各国教育改革的政策目标。

职业技术教育和普通教育之间的声望平等与来自教育培训的经济社会回报有关，与职业技术教育的吸引力密切相关。回报可以是社会地位、薪酬、声望以及接受继续教育发展职业生涯的机会，也可以是获取进一步教育深造、取得较高社会地位的公开选择机会。

Lasonen&Manning 确认了职业增量、互相丰富、联接以及统一等四条改革路径去促进职业教育和普通教育之间社会声望的平等。“职业增量”强调基于个性化内容的职业技术教育的独特性以及雇主和供给者之间的有机联系，增强了职业技术教育对于潜在学生的吸引力。“互相丰富”通过鼓励高职院校、企业以及中学后教育之间的合作来把职业和学术性教育机构等各种类型的学校紧密联系起来，为学生提供更加广泛的选择以及刺激学习的方法和环境，并通过对职业技术教育和普通教育加以评估，允许两种教育路径相互借鉴，突破了这两种教育之间的传统障碍，同时又保持了彼此的独特个性。“联接”通过对证书的确认和转移把职业技术教育和普通教育更加平等地正式衔接起来，使职业技术教育对家长和学生产生更大的吸引力。“统一”把职业技术教育和普通教育整合进入一个单独的教育体系，为所有的学生提供共同的核心价值学科，消除职业技术教育和普通教育之间的差异。这样，职业技术教育的每个领域都系统化地添加了企业的职场学习，不但所有的职场个体在职学习都建立在职业资格获取后继续学习的适宜机构、证书转移、职业资格构成的法规基础之上，而且实现了普通教育和职业技术教育以及高职院校和企业之间的相互支撑，让不同的学习者有可能接受更富于变化、内容更加充实的教育。

职业技术教育与社会和谐的社会化价值机制之间存在较强的联接性。Preston&Green 指出，职业技术教育可以通过价值形态、机构整合以及降低社会声望的不平等方式来促进社会和谐，维护公民的政治经济权利。

二、增强职业技术教育吸引力的路径

职业技术教育要具有一定的吸引力就要改善职业生涯进取发展的上升通道，关注不同学习者对高质量多样性学习环境的需求，有助于个体选择自我发展的路径，满足职业技术教育投资者的意愿。职业技术教育要具有较强的吸引力就需要建构灵活、透明的职业技术教育体系，密切与劳动力市场的联系，尽其所能为所有的学习者提供学习机会，满足所有人的终身学习愿景，为职业生涯打下坚实的基础。增强吸引力既是职业技术教育发展的逻辑原点，也是职业技术教育发展的归宿。

对于个体而言，职业技术教育的吸引力既建立在增加就业和收入的机会基础之上，也建立在由于获得职业胜任能力和职业技能等实际利益而使自己处于优越社会地位的基础之上。同样，当职业技术教育为企业提供与其需求相匹配的有职业技能的劳动力的时候，职业技术教育就会体现出它应有的社会价值，不但能在全球化市场上增强国家竞争力，“储备”人力资本，而且从长期来看也增加了国家的税收，奠定了社会稳定的经济基础。

提供若干接受高等教育的机会是增强职业技术教育吸引力的基本路径。Dunkel 和 le Mouillour 探讨了职业技术教育在高等教育里的“漂移”现象，指出职业关联度和就业能力是彰显高等教育质量的两个重要指标。为此，我们需要改善职业技术教育走向高等教育的直接通道，促进职业技术教育与普通教育之间社会声望的平等。有些国家试图通过一个统一的高等教育体系来改善职业技术教育的现状，还有一些国家通过为完成职业技术教育的毕业生开展高等职业技术教育来寻求高等教育的多样化扩展体系，个别国家的职业技术大学也招收毕业于普通高中的学生，认为这是促进职业技术教育与普通教育之间社会声望平等的有效方法。显然，要增强职业技术教育的吸引力就需要为接受职业技术教育的学生拓展更多通向高等教育的有效通道，解除他们继续接受高等教育的后顾之忧，让他们获得与普通学校学生一起晋级高等教育的平等机会。

提高从事职业技术教育教师的社会地位和社会声望是增强职业技术教育吸引力的必由路径。虽然统计显示，大多数人在接受职业技术教育后平均薪酬水平提高、失业风险降低，但职业技术教育依然被社会广泛质疑，影响力甚微。随着职业日趋社会化，职业结构面临重组，家庭在职业技术教育的价值和态度上扮演着核心角色，人们对于职业技术教育的最初印象以及对特定职业类型的早期印象在其稍后的生活中得以保持、维系和延续。同时，当他们完成义务教育，正在不同的教育通道之间做选择的时候，父母的教育和职业背景以及对于不同教育通道的态度对他们的选择具有显著的影响力。教师拥有较高的社会地位和社会声望可营造出职业技术教育发展的良好社会氛围，影响学生及其家长对教育通道的选择意愿。同时，教师既是学生接受职业技术教育的重要推手，也是年轻人职业角色的楷模，职业技术教育教师的社会地位与职业技术教育的吸引力息息相关。从事职业技术教育的教师享有崇高的社会地位和社会声誉，可以确保职业技术教育的教学质量，并通过高质量的职业技术教育来实现社会的和谐包容，最终形成有竞争力的劳动力市场，成为建设积极的公民社会和实现较高就业目标的必由途径。

三、增强职业技术教育吸引力的政策选择

增强职业技术教育的吸引力需要相关部门制定并选择综合性的政策措施，让有关职业技术教育的社会形象、社会地位以及吸引力等特殊政策和措施在整体水平上满足个体和雇主全方位的需求。

改进对职业技术教育的指导和咨询工作。加强并改善对职业技术教育工作的指导和咨询有助于增强职业技术教育的吸引力。职业技术教育的指导和咨询主要涉及三种类型：义务教育阶段后向职业技术教育或向普通高中教育的转换、高中教育阶段后接受高等教育以及成人参加继续教育的指导和咨询。通常，社会所提供的有关就业、劳动力市场以及教育的信息并非最新、最全，而且不够准确，需要加以识别和确认，提高信息运用的质量，增强获得学习和就业机会的理解能力，在更多的路径选择中发展职业生涯。

实施开放和个性化的职业技术教育。要增强职业技术教育的吸引力就必须采取更加开放的措施对个体多方面的需求做出恰如其分的反应。为此，高职教育需要做到：①为社会所有人员提供学习机会，为他们获得职业资格打通道路；②拓

展灵活个性化的职业技术教育通道；③便利教育体系不同路径之间的转换，横向上增加普通教育与工程技术职业教育之间的切换，纵向上促进那些已经拥有职业资格的人进一步接受高等教育；④改善接受职业技术教育的学生进入高等教育的通道；⑤改革课程设计，改进职业技术教育的传授方式。

加强职业生涯与职业技术教育的密切结合。要增强职业技术教育的吸引力就必须把职业技术教育与知识经济中劳动力市场的需求结合起来，进一步强调所有全国性、区域性以及地方性关键伙伴的参与，加速职业技术教育体系的结构调整，进一步发展高职院校与企业的良好关系，制定提升职业胜任能力、发展职业技术教育的科学标准，提高职业技术教育的质量。为此，高职教育需要做到：①下放管理权限，实现职业技术教育的区域化治理，加强劳动力市场、社会化伙伴以及其他利益相关者之间的连接；②鼓励多重管理职能部门的广泛参与，建立社会化伙伴积极参与的激励机制；③形成获取全面信息、客观理解未来劳动力市场需求的组织机构和工作方式；④完善职业技术教育法规，制定职业技术教育标准，确保劳动力市场与职业技术教育之间的关联性。

重视非正式学习的作用。当今职业生涯发展轨迹的显著特征是变化，人们自觉或不自觉地在其职业生涯中不断调整和改变自己的工作和职业，职业技能和职业胜任能力必须在新的工作环境中实现转换和“再加工”，以便满足技术发展、市场波动和组织演变等劳动力市场的变化要求。为此，必须对非正式的学习和经验建立良好的认知基础，让那些离职或失业的人员能够便捷地将自身拥有的知识和经验迅速转移到新的企业、部门甚或新的国度，进入新的职业领域，拓展新的职业空间，奠定扎实的职业基础，成就辉煌的职业生涯。所有这一切的逻辑起点是加倍重视非正式学习的作用，把每个人平时点点滴滴的专业知识和工作经验汇聚成为将来职业发展的活水源头，成为职业成长进步的稳定阶梯。

强化从事职业技术教育的教师职业技能培训。强化教师的可持续职业胜任能力、反映他们特殊的学习需求和角色变化对于增强职业技术教育的吸引力具有特别重要的意义。当前，职业技术教育教师虽然对于劳动者职业技能的开发发挥了重要作用，但由于他们自身的综合素质和所具有的教师职业胜任能力还不尽如人意，与职业轮廓的多样性和劳动力市场的多样化要求相差甚远，因而没能拥有相应的社会地位，削弱了职业技术教育的吸引力。为此，相关部门需要对从事职业技术教育的教师开展强制性的继续培训，要求他们至少都要接受足够的高等教育，在全面增长专业技术知识的同时，增强教师对于学生身心成长、职业生涯指导的责任感。教师培训要结合个性化的学习计划，注重个体选择，加强模块化、自主性和在职学习，强调适宜的学习场所和信息的代际转换。设置的培训课程要建立与职业更加紧密的联系，开发新的课程标准，并在更加广泛的课程体系里应用信息通信技术。职业技术教育在招募新教师时，除要注重个体的各种专业背景外，还需要考虑他们对职业技术教育教学工作的偏好，吸引具有丰富职业知识和较高职业教育自尊心的人才加入。

构建质量确保体系。质量确保体系是由高职院校产生出来的一种自我评价机制，涉及职业技术教育的质量标准制订以及整个体系的开发加工，在增加当事人及其家庭、企业等所有利益攸关者接受职业技术教育可信度的前提下，增强职业技术教育的吸引力。职业技术教育质量保障的基础是开发并实施共同的质量保障框架，把质量保障建立在主流质量保障开发的基础之上，整合进入高职院校的日常管理之中，制定区域性和全国性的质量管理程序标准，鼓励和支持高职院校自行监控质量运行。同时，完善高职院校质量认证加工程序，建立全面质量评价体系，开发全国的质量确保网络，实施质量确保工程。

提高职业技术教育体系的透明度。目前不同部委和社会团体已经开发、认可的若干种不同类型的职业资格证书体系异常复杂，缺乏透明度，导致各种职业技术教育证书体系之间缺乏一致性，不同行业之间不能有效衔接，不能确保职业技术教育的质量，个体由此也不能够获得职业技术教育的平等机会。为此，必须大力构建国家职业资格框架体系，提炼各个特定职业资格体系之间的共性，整合国家职业资格框架的各个组成部分，让整个框架具有更大的透明度和延展性，不但覆盖整个职业技术教育体系，而且涉及质量确认程序、加工过程以及非正式、非正规和先前学习经验的确认机制，以便应对由较高的失业率、较低的职业技能、长期的失业等问题产生的经济压力，提高人们的就业能力，增加不同利益攸关者的参与度，提升职业技能加工效率，增强职业技术教育的吸引力。

第五节　增强职业技术教育重视度

随着全球经济迅速发展和科技不断进步，职业技术教育的重要性愈发凸显。传统的学术教育模式逐渐无法满足现代社会对人才的多样化需求，而职业技术教育则为社会培养出大量的高素质技术人才，为经济发展注入了强大动力。然而，在我国，职业技术教育的重视度仍有待提高，许多人对其认知仍停留在较低层次。本节将探讨提升职业技术教育重视度的方法。

一、明确职业技术教育的重要性

当今社会，职业技术教育已成为推动经济发展和社会进步的重要力量。随着科技的迅速发展和产业结构的不断变化，传统的教育模式已无法满足经济社会对高素质技能型人才的迫切需求。因此，提升对职业技术教育的重视度，首先要明确其重要性。职业技术教育不仅能为学生提供实用的技能训练，帮助他们更快地适应社会和企业的需求，而且能为国家和社会培养一批批高素质的技能人才，推动经济的可持续发展。许多国家之所以在加大对职业技术教育的投入，努力提高其在国民教育体系中的地位，正是因为他们认识到职业技术教育对于促进社会公平、提升劳动生产率和推动技术创新的重要作用。

政府部门及高职院校要想提升社会对职业技术教育的重视度，首先要在全社会范围内进行职业技术教育的宣传和普及。通过多种渠道让公众了解职业技术教育的优势，以及接受职业技能培训所能带来的职业前景和生活改善。政府部门和学校可以联合开展宣传活动，通过成功案例的分享，展示职业技能人才在职场中的实际表现和取得的成就，帮助公众树立职业技术教育的正面形象。此外，可以借助媒体、网络和社会各界的力量，积极宣传职业技术教育的重要性和实用性，激励更多的年轻人选择技能培养，报考技术类院校。

二、改进职业技术教育的教学内容和方法

要想提高职业技术教育的质量和影响力，必须不断改进教学内容和方法。现阶段，许多职业技术院校的课程设置及教学内容依然滞后，缺乏与经济和社会发

展相适应的实用技能培训。为此，教育部门需要积极与行业企业沟通，深入了解各行业对技能人才的需求，及时调整和优化课程设置，确保教学内容与时俱进。此外，课堂教学也应融入实践环节，提升学生的动手能力和实际操作能力。在这一过程中，职业技术院校应积极搭建校企合作平台，通过与企业的深度合作，引入企业的真实案例和项目，让学生参与实际工作，从而培养其解决问题的能力。

现代技术的飞速发展也对职业技术教育的教学手段提出了新的要求。高职院校应利用信息技术、人工智能等现代教学工具，推动职业技术教育的信息化、数字化转型；应借助虚拟现实（VR）、增强现实（AR）等技术，创建沉浸式的学习环境，让学生在近乎真实的场景中进行技能训练，快速提升其实践能力和适应能力；应借助在线课程和移动学习平台，打破时间和空间的限制，让学生能够随时随地进行学习和补充知识，促使其学习变得更加灵活和高效。

三、优化教育资源配置，推动职业技术教育的可持续发展

合理配置资源是实现职业技术教育可持续发展的重要保障。高职院校应加强资源管理，提升设备和教材利用率，整合校内外资源，通过多渠道的资金投入，提升教育质量。

相关部门应加大对职业技术教育的财政投入，确保教育资源得到充分保障。政府应通过各种政策法规，鼓励社会力量参与职业技术教育的投资与捐助，加快公办与民办职业教育机构的资源整合，形成良好的教育生态。例如，可以设置专项资金用于高职院校基础设施建设、教学设备更新和教师培训，为教育发展提供有力支持。

高职院校应积极利用社会资源，与企业、行业协会及科研机构等建立紧密联系，形成资源共享机制。通过校企合作，高职院校可以引入先进的设备与技术，同时为学生提供实习与就业机会。此外，高职院校也应鼓励企业参与课程设计与评价，为课程改革提供实用性参考。各高职院校应加强与其他高校之间的合作，开展联合培养项目，优化资源配置。通过共用实验室、共享师资及联合科研，能够有效提升教育质量，降低教育成本，促进教育资源的高效利用。

职业技术教育应注重数字教育资源的建设。随着科技迅猛发展，数字化已成为职业教育的重要趋势。职业技术学校应积极引入在线课程、虚拟实验室等数字资源，提升教育的灵活性与多样性。在线学习平台可以为不方便返校的学生提供学习

支持，实现教育资源的高效配置与共享，从而推动职业技术教育的可持续发展。

四、建立多元评价体系，提升职业技术教育质量

评价体系的建立是职业技术教育发展的关键一环，一个全面、多元化的评价体系可以激励学生学习、提高教师教学质量，并促进教育持续改进。为了提升职业技术教育的影响力，高职院校需要建立科学合理的评价机制。

首先，高职院校要引入多元化的学生评价体系。除了传统的考试成绩外，还可以通过项目评估、实践考核、社会服务等多种方式综合评价学生的能力。这种多维评价模式不仅能够全面反映学生的实际能力，还能让学生在不同的评价环节中发现自己的优劣，从而更加明确个人的学习和发展方向。

其次，教师评价应多元化。除了教学效果，学校还应综合考虑教师在科研、社会服务及职业发展等方面的表现。学校建立教师评价机制，可以更好地激励教师不断进修和提升教学水平。同时，教师也应积极参与课程评估，以便根据学生反馈不断改进教学方法。

再次，职业技术教育的质量还需要通过行业评价与社会反馈来提升。高职院校可以定期邀请行业专家、用人单位等对毕业生进行评估，收集用人单位对职业教育的意见和建议。这种行业导向的评价能够使职业教育更好地适应市场需求，同时也为学校课程与培养方案的调整提供参考依据。

最后，高职院校应建立职业技术教育的持续改进机制。通过定期的评估与反馈，学校能够及时发现问题并进行调整，每年形成反馈报告，确保教育质量的长期提升与完善。这不仅能促使教育者、学生和社会的共同参与，还能在更大范围内提升职业技术教育的整体水平和影响力。

五、推动政府政策的支持与引导

政府政策的支持与引导对于提升社会对职业技术教育的重视度至关重要。政府应制定相应的政策，提升职业技术教育在国民教育体系中的地位，增加对职业技术教育的投入。同时，政府还应通过财政补贴、税收优惠等措施，鼓励企业参与职业教育，支持企业与高职院校之间的合作。通过政策的引导，促进行业协会和社会组织积极参与职业技术教育，推动形成全社会共同关注与支持职业技术教育的良好氛围。

政府可以通过设立职业教育专项基金，支持职业技术院校的办学条件提升和设备更新，帮助其发展现代化的教学设施。同时，考虑到各地区经济发展的差异，政府在资金分配上应给予边远地区、经济欠发达地区更多支持，缩小区域教育发展的差距。为了更好地服务社会需求，政府还应定期开展职业技能需求预测，及时掌握行业对技能人才的需求变化，从而为职业技术教育的调整和改革提供依据。

六、促进生涯规划教育，提高学生的职业素养

良好的职业素养是学生顺利进入职场的基础，而生涯规划教育对此起到至关重要的作用。为此，高职院校需要注重对学生进行生涯规划教育，帮助他们明确职业目标、发展方向，提高就业竞争力。

高职院校应开设生涯规划课程，系统教授与职业选择、职业发展相关的知识，帮助学生树立正确的职业观和价值观。通过讲授名人职业生涯的探索与成功案例，让学生更直观地认识不同职业的特点与发展潜力，从而激发他们对未来职业的思考与规划。

高职院校应邀请职业规划师、行业专家等对学生进行生涯指导，为学生个性化的职业规划提供支持。高职院校应通过个人能力评估，帮助学生了解自己的优势与不足，制订合理的生涯发展计划，并提供持续的指导与跟踪服务。这样的专业化辅导不仅能提升学生的职业素养，而且能增强他们对未来的憧憬与信心。

高职院校应重视实践环节的设置，通过组织实习、社会调研、企业参观等活动，让学生提前接触职场，感受职业环境，明确个人的职业定位。这种实践机会可以为学生提供宝贵的经验，帮助他们清晰认识自身职业目标。同时，教师在实践活动中也应给予及时反馈，引导学生总结经验教训，提高自我认知。

高职院校建立校友联络机制可以为在校学生提供更多职业发展的机会。与成功校友建立联系，举办职业交流会、职业咨询活动等，可以帮助学生拓展人脉、获取行业信息，为他们的职业发展提供重要支持。这不仅可以提升职业教育的影响力，还可以为学生未来的职业生涯奠定更加坚实的基础。

第四章　高职教育高质量发展的建设

第一节　提升学校治理水平

一、教师、学生、校友发展共同体

（一）坚持以教师为基，切实重视教师队伍建设

高职院校要想发展教育事业，认识到教师的重要性是必要的。为了尊重教师和加强教师队伍建设，国家还专门设立了教师节，但问题的关键是要把对教师的关心、尊重和培养建设放到重要位置，以真项目推动教师队伍建设。一是要从思想观念上真重视，要确立尊重教师个性、倚重教师德才、注重教师发展的“三重”理念，真正做到优待厚待，时不我待。二是要在行动上真实干，要牢固树立全心全意依靠全体教师办学的指导思想，强化对教师培养提高重要性的认识，从各类群体、各个层次教师需求出发，有针对性地通过国外访学、国内研修、挂职锻炼、实习实践等路径切实加强对教师的培养，包括帮助教师攻读博士学位、取得双师资质、丰富阅历经历等。三是创设载体和机制，针对各个年龄段教师的需求，在认真调研的基础上，明确提出全面构建“三金”机制，这是激励制度化的实现途径。赛尔兹尼克认为“制度化是有序的、稳定的社会整合模式，制度化关键是忠诚机制的形成”。“三金”机制即中青年教师培养与成长的金翅膀机制、中年教师稳定与发展的金台阶机制、老年教师幸福与安康的金降落伞机制，形成全方位各分类激励格局。四是特别加强青年教师的快速培养，加大提拔工作力度，努力做到常规发展有渠道、特色发展有通道、快速发展有专道、特殊发展架专线。上述系列举措的目的是引领成长、促进提高、培养感情、积蓄力量、共建共享，提升教师幸福感。

（二）坚持以学生为本，认真抓好学生培养工作

学校的天职是培养人才，其他各项职能都是在此基础上派生的，这一点对于高职院校而言尤为突出。与此同时，在学校学生又是相对弱势的群体，他们更需要关怀和呵护。当然，重视学生，以生为本，既是抽象的教育理念，也是具体的实际需求。一是要从指导思想上确立一切为了学生、为了一切学生、为了学生一切的思想，自觉构建关爱学生进步、关注学生困难、关心学生发展的“三关”工作体系，并不断加以推进和完善。二是研究有利于尊重重视学生、关心帮助学生的机制。三是要研究学生培养成长的具体举措，促进学生在校最大增值，如浙江金融职业学院从2007年开始创造性研判并实施学生千日成长工程，引导学生把从入学到毕业大约1000天的时间进行精心规划，帮助学生实现持续成长，同时强调一年级金院学子突出学做人、二年级院系学友强调精专业、三年级行业学徒重视会做事，并以千日成长规划、千日成长记录、千日成长实践、千日成长考核、千日成长评奖、千日成长总体评价等机制，努力促进学生在千日成长理念下天天成长、健康成长、快乐成长、幸福成长、人人成长、持续成长。四是着力围绕就业导向和目标，注重培养和增强就业创业能力，全校上下构建齐抓共管机制，推动学生优质就业、对口就业、顺利就业，并在岗位上健康成长，其目的是推动学生最大增值，激发学生对母校的感情，以强烈的主人翁意识，参与学校建设和发展。

（三）坚持以校友为宗，全面激发校友工作正能量

校友是学校最为宝贵的战略资源，能够反映学校办学水平。如何培育和激发校友力量，使之成为学校建设和发展的重要资源，是高职教育高质量发展的关键。一是完整、正确认识校友工作，对学校来说，校友是资源需要去积累，校友是力量需要去汇集，校友是品牌需要去建设，校友是财富需要去开发，校友是桥梁需要去架构，校友是平台需要去搭建，全面完整、正确认识校友，才能激发开展校友工作的动力。二是全面重视校友会工作，要始终做到重视成功校友，关心成长校友，巩固老校友，开发新校友，把校友纳入工作视野。同时，要创设载体推动校友会工作，较好推进校友与母校的互动，对校友成长发展也有较大帮助和促进。校友工作的目的是传递情感、激发感情、谋求团结、形成力量。

二、培养和造就高素质中层干部队伍

高职教育作为我国高等教育的重要组成部分，历经数十年的发展，不仅已占据中国高等教育的“半壁江山”，而且院校规模也在不断扩大。不失时机地推进高职院校管理强化是内涵发展阶段的题中之义，而加强和重视中层干部队伍建设是提升高职院校管理水平的重要课题。

（一）高职院校中层干部队伍的素养要求

按一般体制和职级来说，高职院校的中层干部大多属于处级干部建制，有相对高的要求，也受到许多政策性规定制约。因此，如何建设好中层干部队伍问题必须切实引起重视。

1. 政治的高度

在高职院校担任中层干部的同志应具有政治意识、大局意识、核心意识、看齐意识，能正确理解和全面把握中央统筹推进“五位一体”总体布局、协调推进“四个全面”战略布局的决策部署，具有道路自信、理论自信、制度自信和文化自信，自觉与以习近平同志为核心的党中央保持高度一致。在当前，要认真学习贯彻党的二十大精神和习近平新时代中国特色社会主义思想，把握进行伟大斗争、建设伟大工程、推进伟大事业、实现伟大梦想的总要求，以此来落实在中国共产党领导下，扎根中国大地办好中国特色社会主义高校的总体要求。

2. 思想的深度

高职院校中层干部要具有深邃的思想，正确认识和把握高等职业教育的特点、规律和方法，要善于从经济社会发展、产业变革发展趋势、整个教育结构和体系等大格局中研究如何办学，研究如何培养人，要善于研究并找到实现“四个服务”的方法和要求，真正做到高等教育为人民服务、为中国共产党治国理政服务、为巩固和发展中国特色社会主义制度服务、为改革开放和社会主义现代化建设服务。并按照“四个服务”的总要求，具体落实学校党委的决策部署和校长的工作安排，努力做好自己的工作，履行自己的职责。

3. 视野的宽度

一个好的中层干部，应做到视野宽阔、思路宽广，既要有教育工作者的广阔视野，又要研究高等职业教育，这样才能对专业设置和人才培养工作做出正确判断。此外，中层干部要抓好管理和落实工作，要对经济社会发展和产业变革有关注和研究，善于从区域经济发展和产业变革中把握高等职业教育的定位，把握人才培养的要求，并具有一定的国际视野和跨文化交流能力，善于按照博采众长、融合提炼、以我为主、自成一家的要求，探索形成本校特色的专业建设和人才培养机制，更要拓展国内外交流，形成相互学习借鉴、共同提高的机制，促进高职教育更好发展。

4. 知识的厚度

高职院校的中层干部，也必须有比较扎实的学识。一方面，高职教育属于高等教育，从事高等教育教学和管理工作的中层干部应当有高等教育的经历和阅历；另一方面，高职教育属于职业教育，中层干部对职业发展等领域也应当有所了解和掌握。作为教育工作者，所从事的是教书育人的工作，因此，高职院校中层干部必须认真学习并研究教育学、心理学、青年学等相关社会科学知识，研究教书育人规律、青年成长规律和思想政治工作规律，以丰富的学识做好教学和管理工作。

5. 工作的力度

高职院校的中层干部大多是教学工作者，同时也是学校的管理工作者，担负着“双肩挑”的任务。因此，中层干部不仅要有知识、有学识，而且必须有推动工作的能力，有谋划工作、落实工作的方法论和经验。作为二级院（系）的负责人，如何创造性地执行学校的工作部署，更是一门艺术，也就是说，中层干部必须培养自己的工作能力。考察一个中层干部是否胜任工作、是否优秀、是否具有培养前途，除了考察其思想政治素质和道德水准外，还应重点考察其推动工作的能力。

6. 干净的程度

习近平总书记曾经对干部队伍建设提出过二十个字的明确要求，即信念坚定、为民服务、勤政务实、敢于担当、清正廉洁。这就是说，作为党的干部，不仅要忠诚，而且要干净，要多想做事、能谋大事，愿做小事、乐做善事，会合作共事、成事而不出事，这就是干净。也就是说，一个好干部应该始终保持清正廉洁、干净做事，才能成为忠诚、干净、有担当的好干部。

（二）高职院校中层干部队伍的能力要求

干部是要干事的，中层干部首要的品质是立足岗位忠诚干事。因此，不仅要坚持德才兼备、以德为先，同时必须真正做到能干事、干成事，具体来说，要做到以下六个方面。

1. 学习的能力

对于负责一条线或一个领域的干部而言，优秀的学习能力是十分重要的。当今世界科学技术日新月异，社会也在转型变化之中，教师干部必须热爱学习、善于学习，提升自身学习的能力，通过学习正确了解和把握中央和国家的大政方针、世界的发展趋势、人类社会的发展规律，吃透上情、把握世情、了解社情，从而更好地进行决策，尤其是要通过学习不断把握上级文件精神和决策意图。当然，学习既包括直接的形式，也包括间接的形式；既有上级的要求，也有兄弟院校的经验，还有合作企业和未来市场的需求。爱学习是一种理念，学习力也是一种能力，而且是一种最基本和最重要的能力。

2. 执行的能力

中层干部的工作性质就是承上启下。对于上级和学校党政班子而言，中层干部是下级，是执行者，必须学会执行、善于执行、正确执行、创造性执行。因此，对中层干部来说，执行力是一种能力。中层干部要保障学校党委决策和行政工作安排的落实，必须把执行当作自己重要的工作，要吃透上级精神的实质，防止因曲解而错误执行；要端正态度、摆正位置，防止被动和消极执行；要调动基层和下属积极性，确保执行到位；要讲究亲力亲为，防止出现“甩手掌柜”现象；要加强执行情况督查，防止执行不到位；要重视执行结果，以防止无效执行或流于形式，努力做到执行出成效，确保达到上级决策意图。

3. 谋事的能力

对于一个具体的基层单位和部门而言，中层干部又负责一条线或一个领域的工作，如院（系部）负责人、处长、中心主任等。尤其是院（系部）的主要负责人，他（她）担负着如何在学校党委的领导下相对独立地开拓市场，把学院（系部）办好的重任，不能满足于简单的执行和完成上级的工作安排，而要在学校发展的总体框架下谋划部门的发展，对专业及专业群如何做特做优做强，新专业如何开拓，人才培养和学生管理如何加强，师资队伍如何打造，社会服务、科学研究、国际合作如何展开等进行系统谋划，从某种意义上说，在执行的同时，学会谋划发展也是中层干部必须培养的能力。

4. 专业的能力

广义上看，每一项管理工作都有一定的专业性，从这个角度出发，要求每一位管理工作者干一行、爱一行、钻一行，努力成为专家，无论是对于从事党务工作的干部还是对于专业院（系）领导班子成员，无不如此。当然，在专业学院工作的院（系）领导班子成员，更应当有相应的专业背景，同时，必须有较强的专业能力。从某种意义上说，是否具有专业能力也是能否在专业院（系）担任专业和行政负责人的重要条件之一。从干部运行管理制度要求看，中层干部需要参与轮岗。轮岗应该强调干部的专业水准，以“一年熟悉岗位，两年成为内行，三年成为专家”为基本要求，无论是行政后勤、安全保卫，还是资产管理、计划财务、教学管理、招生就业，中层干部应该有相关的专业能力，努力成为内行。

5. 创新的能力

创新是一个民族进步的灵魂和生生不息的动力。创新在新发展理念中排在首位，创新驱动是新时代最为重要的战略。新时代衡量和考核干部能力的重要标志是看其是否具备创新的能力。管理工作不仅要讲执行，讲按制度办，还要在工作中研究如何创新，所谓“转变思想，黄金万两”就是这个道理。因此，一定要提倡中层干部发展创新观念，提升创新能力，能创新、会创新、善创新者应得到鼓励、褒扬和重用。

6. 实干的能力

空谈误国，实干兴邦。事业是要干出来的，幸福都是奋斗出来的，因此中层干部要说实话、办实事，具有实干的本领。实干，就要求干部以身作则、模范带头；实干，就要求干部亲临一线、努力作为；实干，就要求干部善于发现问题，发现真问题，解决问题，并提高解决真问题的真本领；实干，从更高要求看，要实事求是，敢于碰难题、解难事，不断把工作推向深入并取得持续成效。

当然，中层干部需要的能力不只是这些，还需具备说的能力、写的能力，且不同岗位也有不同的侧重点，关键是从实际出发，把事情办好，把高职事业发展好。

（三）高职院校培养和造就高素质中层干部队伍的策略与实践

干部队伍建设既要有绝对的要求，也要有相对的推进策略，按照中央和上级党组织的要求，从高职院校的具体情况出发，遵循干部培养成长的一般规律，研究中层干部队伍建设的方法和路径，也是一门大学问，以下理念值得总结和发展。

1. 立足于自我培养

随着事业不断发展，干部队伍需要增加数量、提高质量、优化结构。而事业发展对干部队伍成长和发展的要求，是立足于自我培养为主，还是着眼于对外引进为主，需要认真研究。有时，引进一个改革家，会产生无穷创新和活力；有时，引进一个高水平学术带头人，会激活一个团队。因此，引进高水平人才的重要性是毫无疑义的。但笔者认为，中层干部处在中层地位，最多只能是将才，还不是一个学校的帅才，主要工作内容是创造性地执行学校决策部署，而并非完全独立地开辟新天地，因此忠诚和执行力更显重要。正是从这个意义上说，中层干部还应当确立以自我培养、提高为主的理念和思路，相信实践出真知。

2. 坚持必要的引进充实

自我培养与引进充实有时候是矛盾的，但更多情况下是互补的，应提倡并确立立足于自我培养提高的策略，同时不排斥适度和必要的人才引进。从人员结构和数量看，随着事业的发展，对干部队伍的人员数量需求日益提高，而引进人才就是充实干部队伍的重要路径之一，同时在事业发展过程中，必然也会伴随结构优化。结构性人才的需求矛盾是经常发生的，必须引进人才，而从文化建设角度，引入新人有利于为一个单位带来新鲜血液，形成活力，引入新人会产生“鲇鱼效应”，既给单位的结构和人员产生冲击，也会激发出整体活力，从而推动进步。正因为这样，无论从总量、结构角度还是从文化角度看，引进充实都是有必要的，更是有意义的。

3. 重视对干部的岗位培训

实践证明，培养和培训是提升管理干部能力的重要路径。这种培训既包括拓宽知识的培训，也包括充实新知识的培训；既可以是纵向的提高性培训，也可以是横向的拓展性培训；既可以是分散的经常性的培训，也可以是相对比较集中的系统化培训。在现实生活中，许多高职院校组织处级干部去党校、行政学院和其他干部培训基地参加干部培训班，说明这些培训具有普遍性和有效性。为使干部培训工作更有成效，高职院校可采用几所学校联合组班的方式，以便大家在学习培训时相互交流、共同提高。当然，各学校组织的以会代训的方式，也不失为一种比较实用的好方法。

4. 采取适当的轮岗交流

在保持学校环境与工作安排相对稳定的状态下，采用交流轮岗的方式，也是培养和推进中层干部队伍建设的重要方法之一。轮岗和交流任职的方法，可以起到干部间相互学习、相互理解、有效沟通、共同提高的作用。正因为这样，近年来，党的组织人事部门一直强调干部要进行轮岗交流，要多岗位锻炼，其意义就在于此。在轮岗交流过程中，必须落实上级的政策导向：一是对管人管财的部门，有关方面规定了最高任职年限，必须认真落实；二是对长期从事基层一线尤其是学生工作、教学工作一线的干部，应该重点倾斜；三是把轮岗交流与加快培养中青年优秀干部有机结合起来。

5. 注重从基层一线选拔干部

干部工作要讲艺术、讲规律，也要讲政策、讲导向，有些同志默默无闻、勤勤恳恳，长期在基层一线踏踏实实工作，尤其是那些身处教书育人和学生思想政治工作第一线、受到教师与学生的普遍尊重和爱戴的干部。对于这些干部，要善于发现、特别关注，以体现不让老实人吃亏的政策导向。有部分高职院校提出“提前学中来，提后学中去”，强调要关心长期在学生工作一线的同志，体现以人为本的办学理念，有利于学校深化以生为本、教书育人、全员育人的导向，体现办特色鲜明、人民满意、师生幸福的高品质学校的要求。

6. 加快中青年干部队伍建设

干部工作既要讲总量、讲整体，也要讲结构、讲梯队，事业发展需要后继有人，需要结构优化，加快青年干部队伍的培养是实现事业可持续发展的重要因素。

高职院校中层干部队伍建设是一门大学问，需要探讨的问题很多，需要探索的方法也很多，关键是遵循规律、尊重实际、实事求是、讲求实效。

三、高职院校治理能力提升的关键节点

（一）创新治理理念：围绕核心价值确立善治为本的治理观念

善治是治理的一种高阶形式，其基本含义是实现公共利益最大化的社会管理过程。善治并非一种管理时尚，而是社会发展进步到一定阶段的需要和产物，其本质上可以理解为若干核心价值观在治理过程中的体现，即要求在实现治理目标的过程中更加强调法治、更加民主、更具效率。因此，结合高职教育发展实际，确立以善治为导向的治理观念，必须把握好以下四点核心价值观：一是坚持法治性。即强调治理过程和治理依据，强调依法办事，尤其要强调认真贯彻国家的法律和法规。对于学校组织而言，还要重视章程，以章程来统领学校各项工作的运行，

维护章程的权威，强化章程的作用。二是提倡民主性。在高校治理体系中，党的领导是一个重大的政治前提，在党的领导下，高校干部要正确处理政治权力、行政权力、学术权力之间的关系，努力寻求最大公约数，充分发挥民主，提高政策的最大受惠面和受惠率。三是强调包容性。坚持在治理过程中强调尊重个性、尊重差异，坚持激励兼容、有奖有罚、以奖为主，以充分调动各方面的积极性尤其是高层次知识分子的积极性。四是注重整体性。即强调学校内部各主体之间、学校与发展利益相关方之间是一个整体。要讲究整体认同，尤其是在教师、学生、校友三者之间坚持以教师为基、学生为本、校友为宗，致力于打造教师、学生、校友发展共同体。

（二）优化治理结构：聚焦类型特色完善校本治理框架与结构

总体而言，我国高职院校的治理结构大多是参照一般大学制度建立的。高职院校在发展初期，通过仿效大学制度，逐渐具备了高等教育形态，实现了办学升格、管理升级。然而，确立类型特色目标后，我们必须对传统的治理结构进行优化，研究建立与高教性和职教性双重属性匹配的治理结构，即从构建基本的治理框架、打造特色的治理结构两个层面出发优化治理结构。

一是构建基本的治理框架。高等教育治理体系有四大支柱：党委领导、校长负责、教授治学、民主管理。在党委领导下的校长负责体制内正确处理各种关系，强调以书记、校长为首的领导班子精于治校，以学术委员会为载体体现的教授精于治学，以一大批敬业爱岗的行政服务工作者精于治事，形成高水平学校的基本结构，体现结构现代化。具体说来，要坚持“一个前提”：即坚持和完善党委领导下的校长负责制。要坚持党委统一领导学校各项工作，坚持党的领导，坚持党委总揽全局、协调各方，坚持党要管党、全面从严治党，坚持“三重一大”党委决策制度。二是打造特色的治理结构。高职院校治理必须重视企业的参与，要通过校政行企的合作，通过企业代表参与学校治理，改善学校的发展环境，从而提升学校的治理效能。此外，学校接受财政拨款，使用纳税人的钱，也必须接受财政、审计等部门的监督检查，考核投入产出绩效。因此，现代治理结构建设还需要接受社会监督，由此形成“党委领导、校长负责、教授治学、民主管理、企业参与、社会监督”的治理新结构，其中党委领导是核心、校长负责是关键、教授治学是基本、民主管理是基础、企业参与是特色、社会监督是保证。

（三）激发治理效能：提升全员素质推动治理工作落实落地

先进的理念也需要靠人来执行，再完善的结构也需要人去维持，完善治理理念、结构框架、运行机制等固然重要，但更新人的思想、提升人的能力才是当务之急。对于高职院校来说，上至领导班子的整体水平，下至一般行政管理人员的服务能力，都是提升治理效能的重中之重。

一是要加强学校领导班子建设。领导班子在学校改革发展和运行中起着重要作用，必须按照中央的要求，按照社会主义政治家和教育家的要求抓好落实，坚持忠诚担当、学习研究、开拓创新、服务示范、勤勉清廉的要求，提升领导班子的个体和整体水平。二是要加强中层干部能力建设。中层干部在学校组织中起着承上启下的作用，必须培养出一支结构合理、素质优良、敢于担当、能力突出的中层干部队伍，尤其要培养其学习创新能力和大局观念。从当前看，在青年教师干部队伍中培养一支面向2035年能担重任的人更为必要。三是要注重管理服务队伍的专业化建设。建设高水平高职学校，关键在于高水平师资队伍，这无疑是正确的，也应当是学校的工作重心。从提高治理水平角度看，高职院校必须培养忠于职守、办事有力的行政管理人员，从而把提升学校治理水平工作落到实处。

第二节　提升国际合作水平

随着教育国际化在全球范围不断推广，打开国门参与国际教育竞争与合作已成为提高我国教育质量和国际化水准的重要路径。为此，《国家中长期教育改革和发展规划纲要（2010—2020年）》明确要求扩大教育开放，加强国际交流与合作。《国家高等职业教育发展规划》也提出："加强国际交流与合作是高等职业教育适应经济全球化要求和国家'走出去'发展战略需要的必然选择，对提升我国高等职业教育国际知名度和国际化水平具有重要意义。"2014年出台的《国务院关于加快发展现代职业教育的决定》（国发〔2014〕19号）则进一步提出"完善中外合作机制，支持职业院校引进国（境）外高水平专家和优质教育资源，鼓励中外职业院校教师互派、学生互换"等国际交流与合作的具体措施。然而，我国高职教育国际化进程并非一帆风顺。相关研究表明，与欧美等发达国家相比，我国高职教育在招收国际生源、开发和贸易教育产品、发达市场环境中的运作成熟度等方面均远远落后。如何通过我国高职院校自身国际合作能力的提升，走好国际发展之路已成为目前我国高职教育面临的重要问题。

一、高职院校开展国际合作的相关命题

高等教育国际合作是高等教育实体在境内、外采取适当的途径和形式，吸收具有不同国籍或文化背景的高等教育主体共同参与的高等教育活动的总称，是一种跨国界、跨民族、跨文化的以人才培养和科学研究为主的高等教育实践活动。加拿大学者简・奈特认为，高等教育国际化包括基于校园的活动和跨境活动两部分。高等教育国际合作包括国际合作和发展项目，教学过程、课程和研究的国际性、基于校园的课外俱乐部和课外活动，交换、实地调研，学术休假和咨询工作等形式的学术流动，国际学生的招生活动，学生交流项目和国外学习，联合学位/双学位项目，建立结对子伙伴关系，开办境外分校等。

作为高等教育重要组成部分的高职教育，其国际合作活动主要是通过高职院校这一实体完成，并体现出以下特点。

（一）我国高职院校开展国际合作的根本目的：提升对具有国际视野的技术技能型人才的培养能力

作为教育发展中的一个类型，高职教育肩负着培养面向生产、建设、管理、服务第一线需要的技术技能型人才的使命，为实现这一目标，我国高职院校普遍开展了国际交流与合作，希望通过教育的国际竞争与合作，增强学校、教师、学生的国际交往与竞争力，培养具有国际视野的技术技能型人才。可见，高职院校的根本目的不是国际合作本身，而是以国际合作为契机，提升院校自身对技术技能型人才的培养能力。

（二）我国高职院校开展国际合作的基本原则：国际化与本土化相结合

有学者认为，改革开放至今的40多年中，我国职业教育国际交流与合作经历了三个不同的发展阶段，其基本路径可以概括为：简单照搬与借鉴学习、本土化，再到总结中国特色向外输出。高职院校在开展国际合作时，必须充分认识到国情的不同，在合作过程中应立足本国、本区域、本校的发展状况，有效借鉴别国的理念与做法，坚持本土化与国际化相结合的原则，开展最适合院校发展的项

目，确立符合国情、校情的实施方式。

“国际化”应成为高职院校开展国际合作的指导理念，它通过将国际维度、跨文化维度和全球维度融入我国高职教育的目的、功能（主要是人才培养与社会服务）中，实现高职教育的健康、可持续发展。高职教育国际化包括观念国际化、人才培养国际化、社会服务国际化、教育资源配置国际化等；“本土化”则应成为高职院校开展国际合作的具体行动准则，其实质是适应环境与改变环境的结合。在新的环境中，将高职院校自身办学特色与本土特色融合，在适应区域环境变化中相应调整院校办学策略，从而让自身特色为本土所接受。高职教育本土化包括人力资源本土化、管理本土化、教育产品本土化等。

（三）我国高职院校开展国际合作的基本问题：先天劣势导致国际合作能力不足

众所周知，我国高职院校的主体是由“三改一补”而来，发展时间普遍不长，办学基础先天不足，在师资、实验实训条件、实习基地、教学培养方案、课程设置、教材建设等指标上全面落后，这使得我国高职院校在国际合作中遭遇很多难题，如教育基础相对薄弱、教育结构相对单一、教育能力显著不足、教育影响力缺失等。这些因素直接为我国高职院校开展国际合作带来了巨大的困难。

（四）我国高职院校开展国际合作成败的关键：国际合作能力

针对我国高职院校先天劣势导致的国际合作能力不足，笔者认为，应重点从以下三方面提升高职院校国际合作能力：一是提升全球教育资源的整合能力；二是提升教育国际化竞争能力；三是提升高职院校品牌建设（主要体现在专业、课程、服务等方面）的能力。只有在上述基础上，我国高职院校才能进一步制定清晰的国际合作战略，选择适当的合作时机，认定正确的合作方式，迈出国际合作的步伐。

二、高职院校国际合作能力的构成要素分析

（一）能力的构成要素分析

能力是人在完成一项目标或任务的过程中所体现出来的素质，它总是和实践联系在一起。离开了具体实践，人既不能表现自身能力，也不能发展自身能力。根据已有文献，我国学者主要从两个角度来分析核心能力的构成要素：一是从资

源的角度，认为核心能力是资源的组织，可称之为资源观；二是从能力的角度，认为核心能力是多种能力的组织，可称之为能力观。

（二）高职院校国际合作能力的构成要素分析

国际合作能力原指跨国界、跨民族、跨文化的工作协调、协作能力，后被引申至高职教育领域，指不同国籍或文化背景的高职教育主体共同开展教育、培训活动所应具备的协调、协作能力。

影响我国高职院校开展国际合作的因素多样而复杂，包括宏观的国际环境层面、中观的政府政策层面以及微观的院校能力层面，且每个层面的因素都相互联系、相互制约。如国际大环境的变化影响我国政府的国际合作政策，国际合作政策的方向又对我国高职院校开展国际合作的意愿及相关能力提升具有引导作用。这里，我们仅以高职院校合作能力的视角，从微观层面就我国高职院校开展国际合作的影响因素进行分析。

就我国高职教育的发展现状而言，高职院校国际合作能力主要包括以下几种。

1. 高职教育国际合作决策能力

决策能力是从“能力类构成要素”视角析出的一种经营管理类能力，根据我国高职教育国际合作的特点，该能力又可体现为洞察预见能力、战略管理能力、可持续发展能力及防范风险能力等。

从我国高职教育的国际合作历程看，政府每一时期的政策制定和变动都客观引导了不同重点和不同程度的国际合作。根据《中华人民共和国高等教育法》，高职院校实行党委领导下的校长负责制。党委是领导高职院校开展国际合作的核心，其职责重在决策，关键在于把好方向，抓好大事，协调各方；校长是实施和执行党委决策的关键，其职责重在执行。针对国际大环境的变化与我国政府国际合作政策的调整，高职院校党委要洞察环境变化，把握高职教育国际合作机遇与方向，预测潜在风险，合理利用政策。高职院校校长则要在党委统一领导下，制定清晰的国际合作战略，选择适当的合作时机，采用正确的合作方式。上述方面均集中体现为高职教育国际合作决策能力。

2. 高职教育全球资源整合能力

这是从“能力类构成要素”视角析出的一种协调运用各种资源的能力，同时也包含“资源类构成要素”中的软硬件资源要素。

资源整合能力，即组织在运行过程中所包含的选择、汲取、配置、激活和融合不同类型资源的能力。由于我国高职教育办学基础先天不足，资源相对匮乏，而开展国际合作通常需要一定的资源为基础（包括信息、技术、知识、文化等），在这种情况下，要有效开展国际合作，就必须具备全球范围内整合资源的能力，使相关资源为我所用，弥补资源匮乏的难题。

3. 高职教育国际品牌锻造能力

品牌锻造能力是“能力类构成要素”视角下的一种市场营销、综合服务、产业扩张、高效运营能力。众所周知，品牌也是资源，也是核心能力的构成要素，科特勒博士认为，品牌是一种名称、术语、标记、符号或图案，或是它们的相互组合，用以识别某个消费者或某群消费者的产品或服务，并使之与竞争对手的产品或服务相区别。教育品牌是品牌的一类，具有一切品牌所具有的共性，如给消费者带来的利益、自身具有的差异化个性、体现的某些价值观、象征着的相关文化等。同时，教育品牌的个性在于其教育性，最终必须表现在学生创新精神和实践能力的培养上，表现在为社会培养出大批合格的高素质人才上。

锻造教育品牌是一个自觉建设的过程，能够发挥人们的主观能动性，充分运用教育策划等谋略手段，去有意识、有目的、有计划地建设教育品牌，使教育品牌建设获得超常规的发展，尽快成长起来。就高职教育特性而言，其国际品牌锻造主要通过教育产品（即专业、课程、服务等）来体现，并建立在高职院校国际品牌锻造能力提升的基础上。

4. 高职院校教师、学生国际沟通能力

沟通能力是“能力类构成要素”视角下的一种学习、执行、响应、转化与吸收能力。教师与学生是高职院校办学的主体力量，高职院校开展的国际合作最终要由教师与学生去响应与践行，其成果也要通过教师、学生的自身变化来显现。这种变化，就是高职院校教师、学生的国际沟通能力提升的体现。

国际沟通能力的本质是跨文化沟通，即拥有不同文化认知和符号体系的人们之间进行的沟通。这要求我国高职院校教师、学生具备本土情怀和国际视野。一是要尊重文化差异，增强多元文化意识；二是要重视跨文化交流学习与实践，培养文化理解力；三是要善于国际表达；四是要重视非语言交流。

三、高职国际合作办学的现状

国际合作办学通常是指我国教育机构与外国教育机构以不设立教育机构的方式，在学科、专业、课程等方面合作开展的以中国公民为主要招生对象的教育教学活动。它对补充我国教育资源的不足，为我国培养国际型人才起着独特的作用。

国际合作办学在我国的发展历史较短，目前存在的主要问题有以下几个方面。

第一，由于在招生制度方面需要考虑公平性和选择性，生源质量在客观上受到了影响，学生的英语语言应用能力较低，部分学生经过一段时间的语言强化后仍无法达到外方的语言能力要求，这在一定程度上影响了合作项目的运行。

第二，教育活动是在一定文化背景下进行的，它对人的影响是全方位和立体的，是一项复杂的系统工程，必须考虑社会环境、意识形态、价值取向、生活方式、行为习惯等特征。所以，在国际合作办学中存在一个不同国家文化交融和国际教师之间磨合的过程。

第三，个别外方学校由于前期拓展成效显著，在我国的合作伙伴较多，海外合作项目业务较繁忙，导致沟通不畅，对于合作办学中出现的一些问题无法及时解决，因此也造成了不好的影响。

第四，专业管理缺失。就目前各合作专业与外方课程的对接及教学计划的制订情况来看，教学管理工作主体不明确，与外方合作不充分，不能很好地利用外方的优质资源。

第五，部分合作专业与国家要求差距较大。少数合作专业甚至从未用过外文教材，也几乎没有外方专业教师授课，部门与外方联系人员不固定，安排教学计划、对接合作专业课程等水平停留在浅层次，课程设置没有融合双方的优点并形成自身特色。

第六，中方师资专业英语水平不高。国际合作办学对教师与学生都有双语要求，然而现在对于国际合作班级的教师几乎没有相应的绩效考核，专业教师很少用双语上课。

第七，一些国外培训收效甚微。专业教师赴国外培训的目标任务不明确，造成培训效果不明显，归国后仍无法进行双语教学。

国际合作办学在开展与实施过程中产生以上问题的主要成因如下：一是政策方面，主要体现在国家对国际合作办学出台的相关文件与政策指导不到位；二是内部管理方面，很多学校在国际合作办学管理方面尚未探索出适合本校的管理模式与方法；三是机制方面，国际教育学院与教务部门、二级专业学院在责权利等方面没有做好细分；四是人员方面，无论是教务处，还是国际教育学院，甚至是二级专业学院，都应该有指定负责国际交流工作的人员，但这一点在绝大多数学校没有落实到位；五是社会原因，国际合作办学专业的学生大多通过多交学费就可以取得相应的国内文凭，这极易造成口碑不佳，社会和企业认可度不高。

四、高职国际合作办学转型提升的策略和建议

高职院校要进一步明确国际合作办学的目标和定位，稳定办学规模，提升内涵质量，打造国际合作办学高水平项目，推动合作办学实现本源目标，发挥合作办学项目对相关专业国际化内涵提升的促进作用。国际合作办学转型提升的重点应该是从举办合作办学项目向开展国际教育服务转型，实现国际教育服务多元化布局、内涵质量高水平提升。

（一）政策方面

深入学习教育部对国际合作办学相关的政策，以开展国际合作办学质量认证为抓手，落实教育主管部门关于提高国际合作办学质量的要求，推动现有国际合作办学项目内涵质量的提升。

（二）评估认证机制方面

切实加强对国际合作办学的教学评估，在参照国家对本科院校国际合作办学工作评估的基础上，对已有的国际合作项目进行梳理和全面测评，对于效果突出、效益显著的项目，要总结其成功经验，适时向更多的院校推广；对于重复建设、就业困难的项目，要敢于删减，或者要求其进行全面充分整改，以适应新形势的需要，为全面实现教育教学目标贡献力量。

（三）院校机制方面

高职院校首先要明确国际合作办学的定位，应该主要是学校内涵建设动因，而不仅仅是经济利益动因。国际合作办学的对象要具有健全和完善的国际教育管理机制。要在梳理明确现有国际合作办学管理机构与相关职能部门、二级教学单位之间责权利的基础上，建立起责权清晰、分工合作、科学高效的运行机制。

（四）学生入口方面

提高生源质量是国际合作办学很重要的一个方面。生源质量可以有效保证项目更好地运行与发展。高职院校可以采用自主单招的方式，在高考前招收优秀高中毕业生。另外，高职院校也可以尝试在学校内部进行选拔，可以采用跨专业选拔的方式，选出优秀的学生就读国际合作办学专业，确保项目的良好发展。

（五）项目运行方面

1. 选好合作伙伴

选好选准合作伙伴至关重要。在选择合作办学伙伴时，具体考虑三个原则：一是合作伙伴办学水平要高，教学资源是否优质关系到合作的成败；二是要有良好的合作基础和合作需求，开展强强合作或强新合作；三是合作项目应服务企业人才需求和符合社会经济发展方向，就是要按照地方经济发展和产业企业的人才需求，结合自身的办学特点，科学合理地选择合作项目。

2. 优化课程设置

要实现国际合作办学的人才培养目标，关键的一步是构建国际融合的课程体系。国际合作办学专业课程体系设计要坚持五个原则：一是先进性原则，坚持引进国外优质课程，坚持以国外的优质课程构建专业的核心课程；二是融合互认原则，将已有的专业建设和课程改革的成果承续下来，并融合在课程体系中；三是本土化原则，整个课程设计要体现中国行业、岗位的职业需要，在具有领先性的基础上要考虑职业岗位的适用性；四是英语强化原则，坚持强化英语教学，通过长期开展双语教学，促进学生英语水平的提高；五是动态调整原则，任何专业的课程体系在实施过程中都需要不断调整和完善，国际合作办学专业的课程设置更是这样，需要根据教学实践和行业最新动态及时优化课程设置，包括课程的增删、国际互认课程的调整、课时和教材的调整等。

3. 创新教学执行

“特殊”的课程体系的存在，使得国际合作办学的教学复杂而富有挑战。创新教学执行的基本做法有：一是加强双语师资队伍建设；二是开展双语课程教学教法研究；三是激发学生学习兴趣，培养学生综合能力。

4. 健全管理体制

有效的管理是开展工作、促进发展、保证质量的基础，高职院校要形成一个以二级学院为依托，集国际事务管理、项目管理、教学管理、学生管理“四位一体”的国际教育学院管理体系，具体包括：一是外事管理，学校的外籍教师管理与沟通协调工作在方便了国际合作办学的同时也加强了外事工作的力量；二是项目管理，主要包括项目开发、项目执行、项目资料管理、项目交流等；三是教学管理，主要有教务管理、教学检查、教学研讨、教学档案管理等；四是学生管理，主要包括学生日常管理、学生活动管理等。

五、高职院校国际合作能力提升的路径——基于多重案例的分析视角

（一）紧跟区域合作与高等教育国际化大趋势，提升高职院校国际合作的领导力

区域合作为我国高职教育开展国际合作提供了良好的大环境，它要求高职院校充分利用区域合作政策，不断提升高职教育国际合作的领导力。即制定合作战略，寻找合作机会，预见合作前景，分析合作风险，有选择地开展高职教育国际合作。

从2002年开始，外交部、商务部等部委利用中国－东盟合作基金、亚洲区域合作专项资金、农业国际交流与合作专项资金、援外资金等在东盟国家开展了一系列农业合作项目，合作主要集中在粮食、养殖业、能源农业、经济作物等领域，这为中国－东盟间的职业教育交流与合作提供了良好的环境。广西农业职业技术学院利用广西与越南相邻的地缘优势及已有的区域合作项目，通过提升高职院校国际合作的领导力，积极开展与越南的交流合作。20多年来，学院依托中国－东盟自贸区建设探索面向东盟的职业教育国际化路子，先后与越南、老挝、缅甸、菲律宾、泰国、印度尼西亚等国的政府、高校及企业，在人员互访、人员培训、互派留学生与教师、双边贸易、良种推广、示范基地建设等方面进行交流合作，成效显著。

（二）牵头职业教育集团，增强教育资源整合力

职业教育集团是职业院校、行业、企业等组织为实现资源共享，优势互补，合作发展而组织的教育团体，是近年来我国加快职业教育办学机制改革，促进优质资源开放共享的重要模式。推进职业教育集团化办学，有利于整合多方力量，

在提升办学能力、开展区域教育竞争（尤其是国际教育竞争）方面具有重要的推动作用。

按照组建形式的区别，职业教育集团可分为行业性与区域性职教集团。区域高职院校可以根据行政区域或经济区域的划分，实现力量的有机整合；行业高职院校可以根据产业的划分，实现行业内相关资源的优质共享与互补。例如，2013年1月，由广东农工商职业技术学院牵头，整合34家企业、科研院所、涉农中专学校，组成南亚热带农业职业教育集团。作为行业性职教集团，南亚热带农业职业教育集团的34个理事单位中，农业产业企业18家、科研院所2家、涉农中专学校2所、广东农垦农场11个，职教集团涉及资产250亿，土地333万亩，产业以橡胶、蔗糖、剑麻等南亚热带农业为主。职业教育集团的成立，大幅提升了学院热作农业职业教育资源的整合能力，为学院在国际范围内开展农业职业教育输出，开展国际职业教育竞争与合作奠定了基础。

（三）基于国际交流与合作项目平台，提升高职院校师生的国际意识与沟通能力

高职院校要将打造中外合作办学知名品牌作为自己的战略目标，培养既懂专业又懂外语的国际化复合型人才，这类人才不仅应具备系统的专业知识基础，还应具备较强的外语能力，特别是外语口语交流能力。

例如，广东农工商职业技术学院，一方面通过引入英国BTEC教育模式与其他教育文化交流项目，提升学生的国际化视野，加强对学生核心技能的拓展；另一方面通过推广全院性双语教学模式与相关的东南亚小语种教学，不断增强学生多元文化意识及语言交流能力。

（四）依托优势专业，提升高职教育的品牌锻造力与国际竞争力

统计数据显示，中外合作办学的项目是否为学校的优势专业，对合作办学的社会影响力有着至关重要的影响。在进一步发展合作办学的过程中，高职院校作为合作办学的实际操作者，应当扬长避短，拿出强势专业和优势项目进行合作办学实践，这样才能提高合作办学中的主导者地位。

广州民航职业技术学院的“航空乘务与管理”“飞机发动机维修”专业，顺德职业技术学院的“中餐”专业，广东食品药品职业学院的“生物制药技术和药品经营与管理”专业都是学校的优势专业，同时，这些专业在区域竞争中也具有

比较优势，围绕相关专业衍生出的课程、服务等，均体现出我国高职教育的国际竞争力。

（五）依托大型跨国企业，提升教育国际影响力

跨国企业是指以本国为基地，通过对外直接投资，在世界各地设立分支机构或子公司，从事国际化生产和经营活动的垄断企业。跨国公司期望获得的是具有国际化理念、能在国际流动、能够进行跨文化沟通的技能人才，这使得满足跨国企业高技能人才要求的过程必然会提升高职院校自身的教育影响力与国际合作能力。

广东农工商职业技术学院隶属广东农垦集团公司，根据《广东农垦经济和社会发展“十二五”规划（粤垦字［2010］65号）》，广东农垦集团公司将坚持实施“走出去”战略，积极推进跨国经营，紧紧围绕“推进农业现代化，打造跨国大集团、建设美好新垦区”的战略目标，努力再造“海外新农垦”。广垦橡胶集团有限公司是由广东省农垦集团公司控股，集天然橡胶种植、加工、销售和研发于一体的国家农业产业化重点龙头跨国集团公司。自2002年成立以来，集团公司不断加快海外项目建设和发展，如通过新建泰南、春蓬两个年加工能力4万吨的加工厂，持续推进印尼广垦东方剑麻种植项目，快速扩大新加坡国际营销中心的业务等方式，积极开展对外合作，不断拓展发展空间。

为提升高职院校教育影响力，广东农工商职业技术学院依托广垦橡胶集团海外企业，通过建立广东农工商泰国学习中心、广东农工商马来西亚学习中心，向广东农垦海外企业输出教育，开展文化技术培训与职业技术教育。培训对象为广垦橡胶集团海外员工，包括泰国广垦沙墩有限公司广垦橡胶集团、泰国广垦董里有限公司、泰国广垦湄公河有限公司、马来西亚广垦砂捞越有限公司，马来西亚广垦橡胶（婆联）公司、印尼广垦坤甸有限公司等旗下的海外企业，培训内容包括南亚热带作物技术、国际市场营销、企业管理、信息技术等业务技术以及中文、英语语言。此外，学院还依托广垦橡胶集团有限公司，利用农垦行业优势安排热作系作物生产技术等农业类专业学生到马来西亚广垦橡胶种植公司快繁中心实习，从事热带作物橡胶树育苗工作，并计划每年派出50名农业类学生到广东农垦马来西亚橡胶基地见习。依托大型跨国企业，真正实现学院“省内一流、全国知名、东南亚有影响”的办学目标。

总之，我国高职院校开展国际合作不是目的，而是自身核心竞争力提升的手段，在开展国际合作的同时，也要注重提升自身的国际合作能力，这有益于我国

高职院校更为平稳、持续地开展教育国际合作。

第三节　提升服务发展能力

一、提升高职院校服务区域经济发展的能力

（一）高职院校服务区域经济发展的重要性

我国的高职教育从无到有、从弱到强，逐渐形成了具有中国特色的教育模式，通过应用型人才培育为我国区域社会经济发展助力。一方面，高职院校作为区域人才培养的重要基地，在区域内同其他高校、企业等主体开展人才培养合作，向社会输送了大量具备专业技能和实践能力的应用型人才，从整体上提高了区域人民的综合素质和职业技能。职业人才为区域经济发展提供了强有力的人力资源支撑，有效助力了区域产业升级和创新创业。另一方面，高职院校依托区域生产资料、资源环境和教育生态，承担科技创新、技术服务和区域文化传播与交流任务，其现代化发展同社会现代化和产业现代化进程息息相关，高职院校与区域经济发展必然走向相互促进、相互影响、相互融合的共建共生共长的发展之路。

（二）高职院校服务区域经济发展存在的问题

1. 专业的建设力度与结构规模同区域经济发展需求脱节

首先，高职院校在适应社会及经济发展变化时缺乏主动性，专业类型少，总体结构不合理，没有紧跟时代发展和产业变革，培养规格、形式单一，难以适应新的技术进步和生产方式变革的要求，且以传统制造业等为主的部分高职院校专业设置过于陈旧，与社会实际需求脱节，战略性新兴产业专业设置较少，没有以服务地方支柱产业为首要目的，没有精准对位优先发展行业、重点企业对高技能专门人才的需求，不能有针对性地培养新时代人才，导致毕业生就业困难，难以找到与所学专业相关的工作。

其次，高职院校与企业之间的产学研结合不够紧密，校企联合培养人才的体制机制没有形成。课程内容是培养学生实践能力和就业竞争力的重要手段。部分高职院校还按照传统的教学内容、教学模式追求“书本”理论，没有体现针对性、

实践性、灵活性的职业特色，没有形成与企业岗位职业能力相对应的独立实践教学体系，学生在校所学知识和技能与当今企业要求相差甚远，导致高职院校毕业生难以达到岗位要求，上岗前仍需经过反复培训，失去了高职办学的特色。

2. 高职院校科研成果数量与转化率不足

强化科研成果的转化和运用对于为经济发展提供新动能非常重要。高职院校往往存在一些亟待转化的科研成果，而这些科研成果能够为面临技术难题的企业，尤其是中小微企业提供解决办法。高职院校科研成果的生产、转化成效不佳，主要存在以下问题：第一，专利成果的转化并不是将有价值的成果粗放地投入生产，而是将先进技术与其他技术相结合完善先进技术的相关功能，才能够在转化环节获得相应的回报。且科研成果的转化需要高校与企业形成良好的合作关系，专利交易对市场化运营服务依赖性强，需要相对较长的撮合交易、跟踪服务和技术消化过程，周期较长，具有一定难度。第二，高职院校科研成果信息利用程度低，专利导航分析不足，导致高职院校的科研成果与市场脱节，难以与企业的专利技术需求高效匹配。第三，高职院校教师激励措施不足，重科研轻转化，考核标准依然以数量作为主要依据，造成科研申请量巨大但含金量不够高。

3. 高职院校师资队伍发展水平和培训投入存在差距

从高职院校师资队伍的发展水平来看，近年来，我国高职教育的师资队伍规模不断扩大，教育教学水平也有所提高，但与发达国家相比仍存在一定差距。这主要表现在以下几个方面：首先，师资队伍结构不合理。一些新兴专业领域的教师资源紧张，而一些传统专业的教师过剩。另外，高职院校教师招聘主要以各专业硕士、博士为主，教师在其各自的专业领域中都具备专业的知识和科学文化素养，但在教学方法和社会实践能力上存在着较为明显的不足。新教师往往通过听课、教学大赛、自我研究、模仿优秀教师及精品课中的教学方法，而非形成自己以实际为基础的理论体系和教学方法。其次，实践经验和操作能力不足。尤其在一些应用型、技能型课程的教授上，难以满足高职教育人才培养的需求，加之近年来培训经费投入不足，培训内容和方式过于单一，培训课程与实际教育教学工作的结合程度不高，导致高职院校整体社会服务能力偏弱，难以带动地方经济转型升级。

4. 国际合作意识薄弱，教育资源分配不均

在全球化背景下，高职院校要加强国际合作与交流，培养具有国际视野的人

才，提升区域经济的国际竞争力。相较于本科院校，高职院校受限于办学水平和资源，高职院校在国际合作与交流方面的实力和竞争力相对较弱，缺乏跨文化沟通能力的教师队伍，缺少国际经验，较难带动本区域开拓国际市场开展合作。除此之外，在高职院校中，国际合作与交流资源的分配不均衡，存在较大的地区差异。一些经济发展较好区域的高职院校在国际合作与交流方面取得了较为突出的成绩，例如，天津等地区部分高校陆续建设“鲁班工坊”项目，为当地与世界打开了沟通的大门。而部分经济发展较弱的地区和弱势专业领域的院校则难以获得足够的交流机会与经费支持。

（三）高职院校服务区域经济发展的能力提升策略

1. 立足区域发展特色，调整高职院校发展结构

高职院校应深入了解和研究当地产业结构及其发展趋势，掌握当地产业链中的优势产业、新兴产业和紧缺人才领域情况，依托院校自身优势，结合区域特色，打造特色专业、设置专业群，打造符合经济发展的实训基地。例如，天津商务职业学院因位于沿海地区，故大力发展国际贸易、物流管理、旅游管理、酒店管理等专业，其具有科学性和有效性的专业结构设置对区域特色产业结构转型升级具有很大支撑作用。当专业设置与当地产业结构契合度高时，高职院校可以最大限度地争取获得政府相关部门的政策支持和资金投入，进一步优化专业结构和课程设置，吸引企业共同参与办学，加大对高职院校专业设置与区域产业发展的宣传力度，扩大社会认知度。鼓励对优秀毕业生的典型事迹进行宣传，提升高职教育形象，为建立多方参与的共商共建共享机制打牢基础，形成良性循环，实现双赢新局面。

2. 重视专利转化成效，引领产学研协同发展

2021 年，习近平总书记在世界经济论坛致辞中指出：“中国将加大科技投入，狠抓创新体系建设，加速科技成果向现实生产力转化，加强知识产权保护，推动实现依靠创新驱动的内涵性增长。”政府应协同高校及相关部门不断完善专利转化相关制度与工作机制，提高专利保护力度，投入经费保障，统筹发挥现有知识产权相关政策措施、项目和平台作用，筛选有市场化前景的专利技术参与专利开放许可试点，降低交易成本，拓宽转化渠道，提供专利申请、维权、交易等一站式服务，提升专利技术转化成效。高职院校应与企业建立紧密合作关系，推

动专利技术与实际生产相结合，促进教师参与实际项目，不断积累实践经验，提高专利申请的质量，通过产学研一体化促进科研成果、专利成果的转化应用，同时完善激励机制，将专利转化成效纳入评价指标，激发教师参与专利转化的积极性。高职院校应率先探索“免费开放许可”制度，主动将自身拥有的专利面向社会开放，在市场中检验专利质量，真正落实好高职院校服务区域经济职能，营造“尊重创新、鼓励转化”的氛围，逐步形成“重质有效”的研究环境和“实事求是”的严谨态度。

3. 建设“双师型”教师队伍，提高教师信息化技术运用能力

高职院校应通过引进、培养等途径，坚持“引进来”与“走出去”并重，调整师资队伍结构，提高“双师型”教师在整体教师队伍中的比例，制定“双师型”教师认定标准，明确“双师型”教师应具备的综合素质，构建针对“双师型”教师的培养培训体系，包括教育教学能力、专业技能、职业素养等方面的培训内容，严格落实教师企业轮训制度，组织教师以跟岗实习、顶岗实践、在企业兼职等形式进行企业实践。同时，高职院校选聘企业和民间“能工巧匠”和“技术能手”进课堂传授技能，依托专业教师在校内建设职业教育技能实训平台，示范建设一批“校中厂”“厂中校”，引领教师在新技术、新标准、新规范中实现专业成长。

为契合区域经济发展要求，高职院校应深入开展教育信息化的普及，大力提升教师的信息化处理能力，以更严谨的态度收集、处理信息，对所在行业乃至整个区域经济的趋势做出客观判断，将信息化的发展应用自上而下地传导给每一位高职学生，逐步实现从被动适应到导向性与引领性并重，进而更好地适应区域经济发展的重要转变。

4. 增强跨文化交流能力，提升国际合作意识

结合国际社会局势变化和国家发展要求，高职院校必须迈入国际化发展进程，加强顶层设计与战略规划。政府应加大对高职院校国际合作与交流的扶持力度，优化教育资源分配，促进各院校之间公平竞争和发展。政府还应鼓励高职院校设置国际交流与合作部门，完善国际交流与合作的管理体系，将国际化融入学校整体发展规划，转变“等、靠、要”思想，积极争取政府、企业和社会各方面的支持，提升国际合作层次，学习鲁班工坊等高职院校的优秀案例，加强与“一带一路”共建国家的高职院校合作，引进国外优质教育资源和课程体系，推动项目共建、资源共享、人才共育，为后续国际合作服务区域经济发展提供有力保障。

当前，我国高职院校发展虽然取得了显著成就，但在面对高速发展变化的社会需求、建设教育强国的要求和服务建设现代化经济体系的使命时，仍暴露出一些突出的问题。高职院校应不断探索新的实践方法、新的思路、新的途径，以培养人才、促进科技创新、提供社会服务等方式，唤醒“自造血”功能，缩小校际、区域间贫富差距，为一线教师及其他相关教育工作者在教育教学机制的设计、开发与实施中提供新的参考，实现区域的协同发展。未来，在新职业教育法颁布和我国新型城镇化建设和产业转型升级的背景下，高职院校将继续发挥其重要作用，助力区域经济发展。

二、提升高职院校的社会服务能力

（一）高职院校社会服务的功能分析

第一，为区域经济社会发展培养高素质技能型人才。高职院校的办学目标是以就业为导向，以能力为本位，为区域经济社会的生产、建设、管理、服务一线培养大批高素质技能型人才，为区域内的行业企业输送充足的高素质技能型人才，为区域经济社会发展提供人才保障。因此，为区域经济社会发展培养高素质技能型人才是高职院校社会服务的最主要的形式和手段。为了保证培养的人才符合区域经济产业结构的调整和发展要求，高职院校应根据区域内行业企业的现实需求，及时调整专业建设和课程内容，调整教学大纲，加强学生职业素质和实践能力的培养。

第二，为区域内的行业企业提供技术服务。科学技术在区域经济的增长、结构优化和质量提升中占有重要地位，区域经济增长的质量取决于科学技术的更新和升级。高职院校拥有丰富的智力资源，专业技术优势明显，应利用自身的技术优势为企业解决实际困难，为行业企业提供优质的技术服务，加快科技成果转化，增强企业的竞争力，促进企业持续健康成长。高职院校应鼓励教师与相关行业企业联合开展应用型技术研究，主动了解行业企业的实际需求，有针对性地用技术服务区域经济社会的发展，促进区域生产力的发展。

第三，为企业员工和社区居民提供培训服务。高职院校可以利用学校的智力资源、师资力量和实验实训基地为行业企业的员工和社区居民开展职业技能培训、转岗培训、专业培训和就业培训等，满足人民群众不断发展、不断变化的就业、转岗和再就业的需要，提高社会劳动者的职业技能素质，促进社会阶层的良性流变。高职院校培训对象丰富，既有企业员工，也有社区居民、事业单位员工等；培训形式灵活多样，有长期培训和短期培训，有全日制培训和业余培训，有校内培训和远程教育培训等；培训内容丰富，既有职业教育，也有科普教育、法律教育等。形式多样的培训服务，可以使高职院校与区域内的行业企业和社区的关系更加密切，为学校争取更多的资金，赢得社区的支持。高职院校可以通过培训服务了解企业的人才和岗位需求信息，及时调整人才培养计划，调整教学内容，使培养的人才更符合社会的需要，促进教学质量和人才培养质量的提高，增强办学核心竞争力。

第四，为区域社会提供文化服务。引领先进文化是高职院校服务区域社会的重要任务，它是除了经济利益性服务之外的软服务。高职院校的文化服务是利用学校本身所拥有的文化优势，直接为区域社会服务。文化服务的形式包括学校资源共享、地方文化研究、社区文化建设、校园文化建设和文化“三下乡”服务等。高职院校可以将学校的体育设施、文化设施等向社区居民开放，为社区居民开展法律知识、环保知识等先进文化的传播。

第五，为社会主义新农村和对口支援高职院校服务。在城镇化过程中，高职院校要为社会主义新农村建设服务，帮助其找到适合当地经济发展的模式，增加农村收入的项目，为农民提供培训服务，指导他们掌握实用的科学技术，打造有文化技术并懂经营的社会主义新农民，促进农村劳动力转移就业，提高农民的就业水平。国家示范性高职院校还要开展对口支援西部高职院校的服务，帮助其进行专业建设、师资队伍建设、教学管理制度建设、学生管理制度建设等。

（二）高职院校社会服务的现状与存在的问题

近年来，高职院校对社会服务的理解和认识已经有了很大程度的提高，社会服务的范围越来越宽，服务的形式也越来越多样，获得了良好的经济效益和社会效益。但是由于高职院校大多由中专学校升格而来，起步较晚，再加上自身和社会等方面的因素，高职院校在开展社会服务方面还存在以下问题。

第一，高职院校社会服务的观念滞后。受历史观念的影响，高职院校从领导到教师都已经习惯了比较封闭的教学和科研工作，对社会服务工作的热情不高，社会服务意识滞后，导致学校社会服务的主动性不强。部分高职院校虽然认识到应该服务于区域经济，与行业、企业紧密合作，但是合作缺乏整体性、长期性和连续性。还有一些高职院校只注重社会服务的有偿性，忽视了义务性和无偿性的社会服务，使高职院校的社会服务功能失去了其原本的意义。

第二，高职院校社会服务的政策支持和体制机制不完善。高职院校开展社会服务工作需要政府，特别是地方政府的政策支持。但是目前，还没有出台关于高职院校进行社会服务工作的政策法规、实施细则、激励措施等，没有为高职院校与区域行业、企业的合作搭建平台，进行相关的沟通与指导，无法促进高职院校的人才、技术、师资、信息等更好地为区域经济社会发展服务。目前，由于大多数高职院校没有设置社会服务管理机构，导致社会服务工作没有规划，也没有得到有效的组织和管理，缺乏组织性、规范性和科学性，基本处于无序的状态。而且学校还缺乏对社会服务活动的激励机制，对社会服务人员的劳动价值无法做出合理的评价，因此，难以调动教职员工参与社会服务工作的主动性和积极性。

第三，高职院校社会服务工作的针对性不强。目前，高职院校的社会服务工作大多局限于为区域经济社会发展培养高技能应用型人才，但是由于高职院校的专业设置、课程结构、课程内容、培养规格等没有与区域支柱产业、重点行业、企业对人才的需求紧密地结合，人才培养的针对性不强。高职院校的其他社会服务工作也没有根据区域需要及时调整服务内容、服务方法、服务手段，学校和区域中的行业、企业之间的信息、知识沟通不顺畅，导致学校的社会服务工作针对性不强。

第四，高职院校教师社会服务能力需要进一步提高。随着高等教育大众化的到来，教师的教学任务越来越繁重，导致很多教师没有更多的精力投入科研和自身素质的提高。虽然大多数教师已经具备了相当高的专业知识水平，但是由于没能与行业的发展同步，及时更新本专业的知识，导致在对企业的员工进行培训时，缺少新技术、新工艺的应用性培训。此外，高职院校教师对区域经济社会发展的理论和实践问题研究不多，难以为地方政府和行业、企业提供信息咨询服务。高职院校教师由于评职称的需要，科研成果的形式基本以论文和著作为主，难以转化为区域经济社会需要的成果。

（三）高职院校在内涵式发展中社会服务能力提升的探索

第一，高职院校要转变社会服务观念，变“被动”为“主动”。提升高职院校社会服务能力的前提是转变社会服务观念，只有学校和教师的社会服务观念发生了转变，社会服务工作才能真正落到实处。在区域经济结构转型时期，随着产业结构的升级和调整，高职院校在走内涵发展道路和提高核心竞争力的同时，要把服务区域经济社会发展的观念贯穿到办学理念和办学思路中，树立主动服务的观念，制定与完善相应的社会服务管理制度，创新社会服务方式，拓宽社会服务范围，不断提高社会服务的能力与水平。

第二，高职院校要建立和完善社会服务的机制和制度。高职院校开展社会服务工作的保障是良好的机制和制度。首先，要建立和完善社会服务的激励机制。学校要在政策、时间、经费、场地和设备等方面给予支持，鼓励教师积极主动参与社会服务实践活动，把教师参与社会服务的工作以适当的标准和比例量化，计算工作量，并将其作为职称晋升和获得奖励的条件之一。其次，要建立和完善社会服务的评价指标体系。评价指标体系应包括继续教育服务、科研成果转化、基础设施服务等，并把科研社会回报率作为衡量社会服务工作的重要指标。通过建立和完善社会服务评价机制，对学校和教师的社会服务成果进行科学有效的评价和考核。最后，要建立和完善资源融合利用机制。高职院校要将现有的智力资源、技术资源、设施资源等整合起来统筹安排、合理使用，促使学校有限的资源在社会服务的过程中实现最大化利用。

第三，高职院校要提高社会服务工作的针对性。高职院校自身的特点决定了其社会服务的工作应主要面向区域经济社会发展，与区域内的行业、企业密切合作，产教融合，培养高素质技能型人才。与企业开展横向课题研究，将理论研究的成果应用到企业的产品开发、技术更新中，加快学校科研成果的转化。此外，还可将高职院校的信息资源充分运用，为区域内的行业、企业提供咨询服务。高职院校应通过与区域内的行业企业合作，推进产教融合，促进人才培养与社会服务同步转型。高职院校要立足区域经济发展的需要，以产业结构转型调整为契机，与区域内的行业企业进行多领域、多层次、多形式的合作，如开展订单式培养、合办专业、共建实训基地、教学工厂等，在为企业培养合格的人才的同时，提高自身的创新力、发展力、竞争力以及社会服务能力。

第四，高职院校要进一步提高教师参与社会服务的积极性和能力。学校要为教师参与社会服务牵线搭桥、搭建平台、提供便利条件，为教师提供企业技术创新、产品研发、员工培训的信息，鼓励教师与相关行业企业联合开展应用性技术研究和横向课题研究，并给予适当的奖励，充分调动教师参与社会服务的积极性，并进一步提高教师社会服务的能力。

社会服务既是区域经济社会发展对高职院校的要求，也是高职院校内涵式发展的内在要求。高职院校要转变观念，增强社会服务的意识；完善相关的机制和制度，保障社会服务的顺利进行；结合区域经济发展，有针对性地开展社会服务；产教融合，提高社会服务的水平。

三、提升高职院校服务产业发展的能力

（一）高职院校提升服务产业发展能力的必要性

1. 高职院校求生存、谋发展的必然要求

我国高职院校历经数十年的发展，积累了丰富的职业教育经验，为区域经济社会发展培养了大批优秀的高素质技能型人才。随着产业分工逐渐细化，行业、企业需求不断变化，高职院校想要在激烈的竞争中立于不败之地，提升服务产业发展能力已成为关键因素。高职院校人才培养的定位主要是满足省域、市域区域内对技能型人才的需求。因此，对区域产业发展及产业变化情况的准确把握对高职院校的生存、发展至关重要。只有审时度势、依据产业发展的动态变化不断调整人才培养目标、提升服务产业发展能力，才能保证高职院校的稳定招生和就业率，使高职院校人才培养进入良性循环的轨道。

2. 高职院校培养高素质技能型人才的内在要求

培养“适销对路”的高素质技能型人才是高职院校的根本任务。所谓“对路”主要是指专业与产业对接、人才培养与岗位需求对接。高素质技能型人才的培养目标不仅要使人才能够就业，还要稳定就业和高质量就业，同时还要为人才未来职业提升做好必要的知识、能力储备。这些目标的实现离不开高职院校服务产业发展能力的提升，只有真正了解、把握区域行业、企业、社会对人才的需求，不断加强学生适应岗位需求的实践动手能力和核心职业能力的培养，并加强对学生职业态度、职业道德和职业精神的培养，使学生真正成为高素质的技能型人才，树立人才培养的“品牌”，才能真正实现高职教育培养高素质技能型人才的使命。

3. 区域经济社会发展的客观要求

区域经济社会发展不仅需要博士、硕士这样的高端人才，还需要踏实、肯干、动手能力强的技术、技能型人才，人才层次、结构的科学、合理是保证区域经济社会健康发展的必要条件。高职教育作为与经济社会发展关系最为“直接”“密

切”的一种教育形式，在服务产业发展方面不仅要在人才培养“主业”上精准对接区域经济、社会及产业发展需求，还要依托自身优势、结合区域经济社会发展的现实需要，开展形式多样的各种服务，如利用自身优势与企业合作进行技术研发，为企业提供岗位培训、技能培训，围绕服务区域经济社会发展、丰富社区教育开展资源服务等，以满足区域经济社会发展的需要，提升高职院校的辨识度、社会认可度和美誉度，确保高职院校的长远发展。

（二）高职院校服务产业发展的现状分析

1. 校企合作深度、广度不够，尚未形成服务产业发展的差异化发展格局

目前很多高职院校专业设置的同质化倾向还比较严重，未综合考虑自身办学实力以及所在区域对特定专业需求总量等情况，盲目追求低成本办学和争办热门专业，造成各高职院校降低分数“争夺”生源的恶性竞争。“仓促上马”的专业，师资力量及必要的办学条件均不具备，其办学效果、人才培养质量可想而知，高职院校人才培养尚未形成差异化发展的格局。尽管近年来国家大力倡导高职教育校企合作办学，但校企合作的深度和广度远不能满足高技能人才培养的需要。一方面，从制度层面上讲，相关的激励政策不健全，企业缺乏利益点，参与校企合作的动力不足、积极性不高。同时，高职院校当前社会认可度不高，很难吸引到行业顶尖企业参与校企合作，导致校企合作缺乏深度、广度和质量。另一方面，高职院校在与企业合作的过程中，也未能深入调研企业所需，寻求利益共同点，以使双方能在校企合作中受益，保证合作的长久、稳定。目前，相当一部分校企合作还处于“拉郎配”、没有发挥实质作用的窘境。

2. 人才培养对接产业发展的及时性、精准度不高，服务产业发展的体制、机制不健全

众所周知，人才培养存在一定的“滞后性”，当前的“热门”专业、急需人才在三年之后可能存在人才饱和、“热门”变“冷门”的现象，因此专业设置和人才培养方案的制定不仅要对区域产业发展需求进行认真调研，而且要考虑区域内相关专业的人才供给情况，并要具有一定的“前瞻性”。当前存在“结构性用工荒”现象，即高技能岗位人才紧缺但招不上人，有的技能岗位供给趋于饱和，相关专业人才储备很富余。这说明高职院校人才培养方面存在对接产业发展及时

性、精准度不高，服务产业发展的体制、机制不健全，不能对市场需求做出及时反应，使得人才培养难以满足区域经济社会发展对高技能人才的需求。

3. 服务产业发展的主动意识不强、积极性不高

高职院校不仅承担着培养高技能人才以满足产业发展的任务，还履行着开展社会服务以促进社会、产业发展的职能。然而，目前服务产业能力尚不是教育主管部门对高职院校绩效考核及衡量高职院校办学质量的重要指标，高职院校开展直接服务产业发展的主动意识不强、积极性不高，服务的整体层次有待加强。利用自身优势以及与产业发展联系最“紧密”的特点开展直接服务产业发展的项目是提升高职院校竞争力、扩大高职院校知名度的重要抓手，然而，当前高职院校直接服务产业发展活动的开展情况不容乐观。

（三）示范校建设对提升高职院校服务产业发展能力的促进作用

在如今这个快速发展的知识经济时代，高等职业教育作为连接教育与产业的重要桥梁，其服务产业发展的能力直接关系到国家经济结构的优化升级和区域经济的竞争力。示范校建设，作为推动高等职业教育内涵式发展、提升教育质量的关键举措，对于增强高职院校服务产业发展的能力具有深远的促进作用。

1. 优化教育资源配置，提升教学质量

示范校建设首先意味着教育资源的集中投入与优化配置。通过政府引导和社会资本的引入，示范校能够获得更多的财政支持和政策倾斜，用于改善基础设施、引进先进教学设备、建设高水平实训基地等。这些硬件条件的提升，为师生提供了更加现代化、实践性强的学习环境，有利于培养符合产业发展需求的高素质技能型人才。同时，示范校往往吸引了一批高水平的师资队伍，他们不仅具备深厚的理论功底，还拥有丰富的行业经验，能够有效将最新技术动态和产业需求融入教学内容，提升教学的针对性和实效性。

2. 深化产教融合，促进校企合作

示范校建设强调“产教融合、校企合作”的办学模式，这是提升高职院校服务产业发展能力的核心路径。通过与企业共建实训基地、开展联合研发项目、实施订单式人才培养等方式，示范校能够紧密对接产业链，实现教育资源与产业资源的深度融合。这种合作模式不仅为学生提供了真实的职业场景体验，增强了他们的实践能力和职业素养，还为企业输送了大量实用型人才，降低了企业的招聘

成本和培训成本。更重要的是，校企双方在合作过程中能够共同研发新技术、新工艺，推动产业升级和技术创新，形成双赢的局面。

3. 推动专业设置与产业结构调整同步

随着经济的快速发展和产业结构的不断调整，市场对人才的需求也在不断变化。示范校建设要求高职院校必须紧跟产业发展趋势，灵活调整专业设置和课程体系，确保教育供给与产业需求的有效对接。这包括增设新兴专业、改造传统专业、开发跨学科交叉课程等，以满足新兴产业对复合型、创新型人才的需求。此外，示范校还通过建立动态的专业评估机制，定期评估专业的社会适应度和毕业生的就业质量，及时调整教学策略，确保教育质量与产业发展需求的高度契合。

4. 强化创新创业教育，激发创新活力

创新创业是推动产业升级和经济转型的重要动力。示范校建设高度重视创新创业教育的开展，通过建立创业孵化中心、举办创新创业大赛、引入风险投资等方式，为学生搭建起从创意到创业的桥梁。这些措施不仅培养了学生的创新思维和创业能力，还促进了科技成果的转化应用，为区域经济发展注入了新的活力。同时，示范校还注重培养学生的团队协作能力、市场分析能力等软技能，使他们在面对复杂多变的市场环境时能够更加从容应对。

5. 促进国际合作与交流，拓宽国际视野

在全球化背景下，示范校建设也强调开拓国际视野和深化国际合作。通过与国际知名高校、研究机构及跨国企业的合作，示范校能够引进国外先进的教育理念、教学方法和课程资源，提升自身的国际化水平。同时，鼓励学生参与国际交流项目、海外实习实训，拓宽他们的国际视野，增强跨文化沟通能力，为参与国际竞争打下坚实基础。这种国际合作与交流，不仅有助于提升高职院校的教育质量，而且能为我国产业“走出去”战略提供人才支撑。

6. 构建终身学习体系，服务全民技能提升

示范校建设还着眼于构建开放灵活的终身学习体系，通过开设继续教育课程、提供在线教育资源、举办职业技能培训等方式，面向社会提供多样化的学习机会，满足不同层次、不同领域的人才发展需求。这不仅有助于提升全民的职业技能和综合素质，还为产业升级和经济发展提供了广泛的人力资源支持。

总之，示范校建设通过多方面的努力，显著提升了高职院校服务产业发展的能力。这一进程不仅促进了教育与产业的深度融合，还为推动经济社会高质量发

展贡献了重要力量。未来，随着示范校建设实践的不断深化，高职院校在服务产业发展方面将展现出更加广阔的发展前景。

（四）提升高职院校服务产业发展能力的路径探索

1. 围绕服务区域产业发展、服务中小微企业培养高技能人才

在当前全球经济一体化和产业升级的大背景下，实现教育与产业深度融合、促进经济社会高质量发展显得尤为迫切和重要。为了实现这一目标，高职院校需要深入了解所在区域的产业发展趋势和中小微企业的实际需求。通过与企业建立紧密的合作关系，开展深入的调研和交流，高职院校可以准确把握企业对高技能人才的具体要求，从而有针对性地调整专业设置和课程设置。

在专业建设上，高职院校应紧密结合区域产业特色，开设与主导产业和新兴产业密切相关的专业，如智能制造、电子商务、信息技术等，同时加强实践教学环节，提升学生的动手能力和解决实际问题的能力。在课程设置上，高职院校应注重课程的实用性和前瞻性，引入行业前沿技术和理念，确保学生所学知识与产业发展同步。此外，还可以与企业合作开发定制化课程，以满足企业对特定技能人才的需求。

除专业建设外，高职院校还应加强师资队伍建设，引进具有丰富实践经验和创新能力的教师，提升教学水平。同时，鼓励教师与企业开展联合研发、技术咨询等合作，推动科研成果的转化和应用。此外，高职院校还可以通过举办技能竞赛、创业大赛等活动，激发学生的创新精神和创业热情，为区域产业发展和中小微企业培养更多具有创新精神和实践能力的高技能人才。通过这些举措的实施，高职院校将能够更好地服务区域产业发展和服务中小微企业，为经济社会发展作出更大的贡献。

2. 围绕服务中小微企业开展科技研发

中小微企业作为经济发展的生力军，往往面临着技术创新能力不足、研发资源有限等挑战。而高职院校拥有较为完善的科研设施、专业的科研团队和丰富的教育资源，能够为中小微企业提供有力的技术支持和智力保障。

在服务中小微企业科技研发方面，高职院校可以充分发挥自身专业优势，针对企业实际需求，开展定制化科研项目。通过与企业合作，共同申报科研项目，高职院校能够深入了解企业的技术瓶颈和需求，从而有针对性地开展研究工作，

为企业提供切实可行的解决方案。同时，高职院校还可以加强与企业之间的技术交流与合作，推动科技成果的转化与应用。通过举办科技研讨会、技术交流会等活动，搭建企业与高校之间的桥梁，促进双方的技术交流与合作。此外，高职院校还可以积极推广先进的科研成果和技术，帮助中小微企业提升技术水平和市场竞争力。

为了更好地服务中小微企业，高职院校还应加强自身的科研团队建设，提升科研能力和水平，通过引进高水平科研人才、加强科研设施建设等措施，不断提升自身的科研实力，为中小微企业提供更加优质的服务。

3. 围绕服务区域技能型人才素质提升开展社会培训

高职院校依托自身在职业教育、实习实训设备、“双师型”教学团队方面的优势，围绕服务区域技能型人才素质提升的要求开展形式多样的社会培训。社会培训主要围绕两条主线：一是针对服务的行业、企业开展企业入职培训、岗位提升培训、“回炉”培训等；二是针对打造“学习型”社会，倡导终身教育，围绕服务地区需求承接各种社会继续教育培训、转岗培训等。高职院校要将社会培训与信息技术紧密结合，采取灵活多样的培训形式，可以是短期脱产培训、共同开发课程学习包，也可以是提供在线学习以及视频点播等。

4. 围绕服务区域经济社会发展、丰富社区教育开展资源服务

高职院校围绕服务区域经济社会发展、丰富社区教育开展资源服务，是其履行社会责任、推动地方进步的重要体现。在新时代背景下，高职院校不仅承担着培养高素质技术技能型人才的任务，还肩负着促进区域经济社会发展、提升居民生活质量的使命。

在服务区域经济社会发展方面，高职院校可通过深化产教融合，与地方政府、行业协会、企业等多方合作，共同推进技术创新、产业升级和人才培养，还可依托专业优势，设立研发中心、技术创新平台，为区域产业提供技术支持和解决方案，助力企业转型升级。同时，高职院校还应积极参与区域发展规划、政策咨询，为地方政府决策提供科学依据和智力支持。

在丰富社区教育、开展资源服务方面，高职院校可以充分利用自身教育资源，面向社区居民开放图书馆、体育场馆、实验室等设施，满足社区居民的学习、健身、娱乐需求。学校还可以根据社区特点，开设各类公益课程，如技能培训、健康教育、心理辅导等，提升居民综合素质和生活质量。通过举办讲座、展览、文艺

演出等文化活动，高职院校可以促进社区文化的繁荣与发展，增强社区凝聚力，提升社区居民归属感。

高职院校还应积极探索“互联网+教育”模式，利用现代信息技术手段，打破地域限制，为社区居民提供在线学习资源、远程培训等服务，实现共享和优化教育资源配置。通过构建线上线下相结合的教育服务体系，高职院校不仅能够满足社区居民的多样化学习需求，还能够推动社区教育的创新与发展。

第五章　高职院校创业教育高质量发展研究

第一节　高职院校创业教育的相关理论概述

一、概念界定

（一）创业教育

“创业教育”由英文词汇翻译而来，并非中国本土概念。在英语环境中创业教育一般使用“entrepreneurship education”和“enterpise education”来表述。其中，“entrepreneurship education”表示利用教育手段帮助学生创造财富、创办公司，而“enterpise education”主要是指对创业品质和创业精神的培养，与商业获利无直接关系。

虽然创业教育实践在世界各国已有数十年的历程，但是创业教育概念在学术界尚未达成共识，不同组织和学者都对“创业教育”进行了多角度的阐释和界定。学术界普遍认为，创业教育的思想起源于奥地利经济学家约瑟夫·熊彼特（Joseph Schumpeter）的《创新创业理论》和《经济发展理论》，“创业教育”这一概念在国际上正式提出始于1989年召开的“面向21世纪的教育国际研讨会”。随后，联合国教科文组织在1991年的东京会议报告中提出了“广义的创业教育”和“狭义的创业教育”，明确界定了“创业教育”的概念。从广义上说，创业教育的目的是培养具有开创性的人，雇主们不仅希望求职者在事业上能够有所成就，而且希望他们具备冒险精神、创新意识、独立工作能力、人际交往能力和企业管理技能等。而狭义的创业教育则被视为就业教育的延伸，其教育内容和自主创业密切相关，旨在培养学生创办企业的能力，以获取经济利益和社会效益。由此可见，广义的创业教育侧重于塑造创业型人才，狭义的创业教育则侧重于培养创业人才。美国考夫曼创业基金会把创业教育定义为：通过教育向学生提供创业所需的观念和技能，使其能够快速识别出他人未觉察的机会，并在他人犹豫不决时快速采取行动。“创业教育之父”杰弗里·蒂蒙斯教授指出，创业教育不是以解决生存问题为目的的就业培训，更不是“企业家速成教育”，而是着眼于为未来几代人设定“创业遗传代码”，将“造就最具革命性的一代创业者”作为其基本价值取向。从上述界定可以发现，国外的“创业教育”具备终身教育理念，强调塑造学生的精神品质和价值观，并不局限于商业培训。

自1989年联合国教科文组织提出“创业教育”这一概念起，我国的创业教育研究也积极展开。1989年，胡晓风基于中国社会背景，首次提出“中国创业教育”的概念，并联合姚文忠、金成林等学者撰写了《创业教育简论》一文。文中将“创业教育”界定为：在人生历程中进行创造和职业相结合的教育。这一论述为中国创业教育研究奠定了坚实基础，此后众多学者从不同角度对创业教育展开探讨。笔者通过阅读分析国内文献，将创业教育的概念归纳为以下三类。

1. 职业论

这一观点较多出现在我国创业教育研究早期。持这一观点的学者从职业发展的角度诠释创业教育，强调通过创业教育帮助学生自谋职业、创业致富。毛家瑞等学者认为创业教育的目标应该是培养具有开拓能力和创新精神的社会主义建设者，能够适应产业结构和劳动力市场的变化，能够开创自己事业和生活的新领域。彭钢等学者指出，创业教育能够促进教育与生产劳动相结合，能够加强教育与经济、社会的联系，能够培养学生具备自谋职业的心理准备和独自谋生的能力。①

2. 素质论

持这一观点的学者将创业教育定义为一种素质教育，包含培养创新精神、创业意识和创业能力等品质。目前，这种观点在我国学术界占有一定地位。彭钢教授认为，创业教育是指以开发和提高青少年的创业基本素质，培养具有开创个性的社会主义建设者和接班人的教育。徐小洲等学者也认为，创业教育是缓解就业压力的工具，更是包含提升就业能力在内的创业素质教育，创业教育要回归到人的发展，注重受教育者素质的提高。随着社会经济变革和教育教学改革，我国顺应时代提出了“创新创业教育”这一新概念。将“创新”与“创业”合并为“创新创业”，进一步深化了创业教育的改革方向，丰富了创业教育的时代内涵，强调了创业的本质是创新型创业，其目的是通过创业这种实践方式培养出具备创新

① 康宁．中国高等教育资源配置转型程度的趋势研究[M]．南京：南京大学出版社，2020.

精神、创业意识、实践能力和创业技能的新时代大学生。这一理念再次肯定了创业教育的本质是一种素质教育。

3. 系统论

这一定义着重突出创业教育的系统性、过程性和整体性，强调创业教育应贯穿高校教育、教学、管理全过程，需要政府、企业、学校以及社会各界共同参与。"创业教育生态系统"是学术界极具代表性的提法。徐小洲等学者指出，创业教育是一个系统工程，必须改变传统创业教育相互割裂、狭隘的封闭状态，形成相互沟通、良性循环的创业教育链。黄兆信等学者认为，我国高校创业教育必须形成不同主体间自发耦合、协同互联、内生成长的创业教育生态系统。王志强等学者也认为，创业教育的各个要素和环节已经成为一种共存共生、协同进化的生态系统，创业教育重在培养和激发具备创新创业精神和能力的个体，从而构建闭环生态系统。

（二）高职院校创业教育

在界定"高职院校创业教育"之前，首先应厘清高等职业教育的特色属性和职能定位。1996年制定的《中华人民共和国职业教育法》明确高职教育为职业教育的一个层次，1998年制定的《中华人民共和国高等教育法》明确高职教育为高等教育的一个类型。由此可见，高职教育兼具职业性和高等性，既是以培养职业技能为目的的类型教育，也是我国职业教育体系中的高层次教育。目前，我国高职教育体系包括专科层次和本科层次。

关于高职教育的职能定位，学术界主要围绕育人功能和社会服务功能进行界定。基于育人视角，高职教育的职能在于以岗位群需要为依托，通过一定的教育活动对受教育者进行职业知识传授和专业技能培育，促进高职学生更高质量、更充分就业。基于社会服务视角，有学者指出高职教育作为与经济社会发展最为密切的教育类型，其职能应由服务社会发展向支撑引领社会发展转变，培养面向生产一线的高素质技术技能人才，以技术革新服务产业转型升级。随着我国经济社会发展，高职教育正逐步从以规模扩张为主的外延式发展向以质量提升为主的内涵式发展转变，其职能定位也随之被赋予了新的时代内涵。2021年，中共中央办公厅、国务院办公厅印发《关于推动现代职业教育高质量发展的意见》明确指出，职业教育肩负着培养多样化人才、传承技术技能、促进就业创业的重要职责……

为全面建设社会主义现代化国家提供有力人才和技能支撑。2022 年 8 月 20 日，教育部发布了《中国职业教育发展白皮书》，站在国家发展战略的高度对职业教育的职能定位进行阐述，指出职业教育是支撑经济高质量发展、服务高质量教育体系最直接的教育类型。由此可见，职业教育的传统职能定位已难以满足国家发展的需要，随着产业结构转型升级，国家需要职业教育承担更多使命，急需赋予其更为宽泛的内涵。因此，现阶段高职教育理应观照国家战略，从量的扩张转向质的提升。为推动国家经济高质量发展，高职教育应主动适应时代变革，致力于培养契合现代化国家建设目标和区域发展特色的高素质技术技能人才。

在我国经济社会发展、产业结构升级、院校深化改革、人才需求高涨等因素的综合影响下，高职院校创业教育的内涵也在不断变化，主要体现在以下三个方面：其一，高职院校创业教育的培养目标不再是培养具备单一技术的创业人才，而是培养具备综合性技术技能的创业型人才。高职院校创业教育通过高质量人才培养推动社会经济高质量发展，以个体自我价值的实现催生社会价值，为产业变革提供持续的人才保障。其二，高职院校创业教育的本质绝不等同于创业培训活动，其教育目标并非要求学生迅速创业，而是着眼于个体职业生涯的可持续发展。高职院校既希望通过创业教育提高学生在劳动力市场的竞争力，同时也致力于激发学生的创新性思维和探究意识，从而全面提升学生的能力和素质。创业教育应从“精英化创业教育”走向“大众化创业教育”。其三，为凸显职业教育人才培养模式，高职院校创业教育应强化自身类型特色，而不是直接移植照搬。高职院校创业教育应结合高等职业教育的特殊性，体现其鲜明的实践性、应用性和职业性，突出其高素质技术技能人才的培养目标，结合区域发展需求和高职学生的学习特点，开展适合高等职业教育层次的创业教育。

二、理论基础

当前我国高职院校创业教育理念已逐步从“传统创业教育”走向“新型创业教育”，强调在国家创新驱动发展战略下着重开展创新引领下的创业教育，积极扭转功利性思维，将教育关注点落在培养学生的创新精神和创业素质上，同时更加强调创业教育的整体性和系统性。因此，高职院校创业教育需要依托创新理论和教育生态理论开展教育教学工作。

（一）创新理论

“创新”起源于拉丁语，原意包含三种含义：更新、创造新的事物、改变。在催生资本主义社会制度内生成长的力量中，“创新”被称为继君主政体、人文精神、求利观念之后的“第四种伟大力量”。经济学家约瑟夫·熊彼特（Schumpeter）开创了对创新的系统性研究，首次提出并构建了具有世界性学术地位的核心理论——创新理论。在创新理论体系中，熊彼特认为创业的实质是创新，并将创业定义为资源的创新或重新组合，丰富了创新理论研究。熊彼特将“创新”定义为建立一种新的生产函数，即企业家使生产要素出现新的结合，主要包括以下五种情况：一是引入一种新产品，即产品创新；二是采用一种新的生产方式，即技术创新；三是开辟一个新市场，即市场创新；四是获得原材料或半成品的新供给来源，即资源配置创新；五是建立新的企业组织，即组织创新。由此可见，熊彼特认为创新就是创造新价值，是革新生产技术和变革生产方式，强调创新是促进经济社会发展的关键性要素之一。此外，熊彼特还提出了“企业家精神”的概念，凸显创新思维和开拓能力的重要性。虽然熊彼特开创了创新理论，但其界定的创新概念较为宽泛。因此，自熊彼特之后，其追随者在继承和发展的基础上进一步探索，形成了两种流派：其一是技术创新理论，涉及技术进步和技术扩散，代表人物有理查德·纳尔逊、克里斯托夫·弗里曼等。这一理论着重强调创新会带来持续不断的技术变革和技术机会，是经济发展的强大内驱力，是创造新的社会价值的全过程。其二是制度创新理论，涉及制度变革和制度发展，代表人物有道格拉斯·诺思和兰斯·戴维斯等。这一理论认为经济的持续增长和社会的长期进步源于制度创新。之后，创新理论继续发展，衍生出一系列新的理论体系，如国家系统创新体系、协同创新理论、内生增长理论等，使得创新理论的概念范畴进一步扩展。

创新理论不断发展反映了创新在经济社会发展中的作用日益凸显，创新对国家的进步产生着巨大的推动力量，世界经济的周期性变动也得益于企业家的创新。自党的十八大提出创新驱动发展战略以来，我国确立了建设创新型国家的战略目标，把“创新摆在国家发展全局的核心位置”，强调创新型人才的培养，着力提高个体自主创新能力，通过人力资本优势推动国家经济发展。

创新理论为高职院校创业教育研究提供了理论基础。在创新理论的指导下，高职院校创业教育由传统创业教育转向新型创业教育，由商业培训转向素质培养，以创新为导向开展高职院校创业教育。在新型创业教育中，创新是创业的基石，创业是创新的体现方式之一，不应将创业狭隘地理解为创办新企业，而应将其视为一种思维和行动上的创新模式，在工作岗位开辟新项目、创造新价值、实现自我创新和自我突破的行为都可称之为创业。因此，高职院校创业教育的首要任务应是帮助学生树立创新意识，培养开拓性思维，持续提高自身的创新能力，进而实现自我价值的突破。

（二）教育生态理论

教育生态理论是生态学和教育学相融合的产物，这一理论主张运用生态学原理解释教育问题。

“生态学”一词最早由德国生物学家海克尔（Haeckel）在19世纪提出，用于研究环境对生物的影响。19世纪30年代，英国生态学家坦斯利（Tansley）首次提出“生态系统”概念，指出生态系统是由生物体之间以及生物体与无机环境之间相互作用形成的统一整体。随后，经过一个世纪的追寻探索，西方学者们开始将生态学引入教育领域，教育生态学研究正式展开。20世纪70年代，美国学者克雷明（Cremin，L.A）首次提出“教育生态学”概念，英国学者埃格尔斯顿（Eggleston，J）出版了著作《学校生态学》，标志着教育生态理论的系统形成。我国最早对教育生态学进行系统研究的是吴鼎福教授，他在其专著《教育生态学》中将“教育生态学”定义为：依据生态学原理，运用整体联动思维和系统平衡思维，从生态系统、生态平衡、协同进化等原理入手解决教育问题，进而掌握教育发展规律，揭示教育的发展趋势和方向。在《教育生态学》一书中，吴鼎福教授首次提出教育生态学的基本原理，即限制因子定律、耐性定律和最适度原则、花盆效应、教育生态位原理、教育生态链法则、教育节律、教育生态系统的整体效应、教育生态的边缘效应等。此外，书中还系统总结了迁移与潜移等教育生态学的基本规律。随后，学者们开始逐渐认识到教育生态学研究的重要性，国内学界关于教育生态学研究开始呈现蓬勃发展的态势。

教育生态理论融合生态学的精髓，以生态理念为指导，旨在研究各层次教育生态主体与生态环境之间的动态适应关系。这一理论主张在解决问题的过程中以整体观、全局观、共生观的眼光审视教育问题，避免狭隘、局限的思考方式，着眼于研究教育系统中生态因子之间的动态平衡关系，强调各要素在共生中相互依赖、在协同中相互促进。借助教育生态理论研究教育问题是一种追求可持续发展的研究方式，有利于从整体关联的视角全面把握教育问题的本质，既有利于推动教育与外部生态环境相互适应，又能够系统把握教育内部各生态因子的动态因果关系。

创业教育的系统性和实践性决定了创业教育在开展过程中需要关涉政府、社会、企业、高校、教师、学生等多方主体，各要素主体在创业教育活动中有着不同的生态发展环境和生态发展逻辑，需要不断调整和优化创业教育生态系统，以促进创业教育可持续发展。教育生态理论为高职院校创业教育提供重要启示，以生态系统的角度研究高职院校创业教育具有高度适切性和现实必要性：一方面，高职院校应明确自身的生态位，确定学校的培养目标和办学方向，结合本校的学科专业优势开展创业教育，开设符合高职教育人才培养特色的创业教育课程，切实强化高等职业教育类型特色，塑造高素质创业型人才。另一方面，高职院校创业教育在发展过程中应注重构建有机的创业教育生态系统，注重宏观生态因子和微观生态因子之间的和谐稳定，推动政府、高职院校、企业、社会内合外联，以促进创业教育适应社会经济发展，最终形成高质量的高职院校创业教育生态环境。

三、高质量发展背景下高职院校创业教育的应然取向

2017 年，党的十九大首次提出“高质量发展”理念，明确指出高质量发展是社会各界主动适应经济发展新常态的必然选择，是我国全面建设社会主义现代化国家的首要任务。我国经济高质量发展的显著特征体现为从高速增长转向高质量发展，其根本在于经济的创新性和长效性，不论是产业升级、技术革新，还是企业发展，都需要围绕如何助推经济高质量发展展开。

经济的高质量发展既得益于新产业、新业态、新技术，又能够推动各行各业不断更迭，同时催生一大批新兴岗位、产生新的人才需求。社会各界对技术技能人才的能力素质要求已由过去注重单一的专业知识和技术能力转变为强调综合素质和创新能力，这在很大程度上为我国现代职业教育改革带来了新的机遇和挑战。作为与经济社会联系最为紧密的一种教育类型，职业教育质量提升已成为人力资源开发的有力保障，能够为我国经济提质增效注入鲜活的人才驱动力。纵观近年来的职业教育相关政策文件可知，国家政策导向愈发重视质量：2019 年《国家职业教育改革实施方案》强调牢固树立新发展理念，职业教育改革目标应由追求规

模扩张向质量提升转变，并提出了推进高等职业教育高质量发展的具体要求；2020年《职业教育提质培优行动计划（2020—2023年）》再次强调职业教育要为促进经济社会持续发展和提高国际竞争力提供多层次、高质量的技术技能人才支撑，标志着我国职业教育开始走向提质培优、增值赋能的新时代；2021年，《关于推动现代职业教育高质量发展的意见》发布，标志着我国职业教育正式进入高质量发展阶段，并从强化职业教育类型特色、完善产教融合办学体制、创新校企合作办学机制、深化教育教学改革等方面详细部署了职业教育高质量发展工作。在国家政策指导下，新时代高职教育应聚焦改革创新、提振质量，科学把握高质量发展理念赋予高职教育的时代内涵：第一，以培养高素质技术技能人才为根本。高职教育作为技术技能人才培养的主渠道，应坚持育德与修技并举，树立科学育人目标，培养高素质、高技能、高质量人才，为技能型社会建设提供稳定、持续的人才供给，提高职业教育吸引力。第二，以强化职业教育类型特色为基点。在推进高职教育高质量发展的过程中，必须充分体现高职教育的办学方向、培养模式和发展特色，将产教融合、校企合作、双元育人、工学结合、育训并举、德技并修作为办学关键词。第三，以助推区域经济社会发展为重任。与产业结构、市场需求紧密对接是高职教育发展规律的内在要求，高职院校需要与区域产业和行业企业深度对接、同频共振，以服务区域经济发展为导向，以解决就业民生问题为重点，充分彰显高职教育的社会价值，将职业教育高质量发展落到实处。

在新产业、新业态下，经济社会高质量发展对高职教育提出了更高的要求，创业教育作为培养高素质创业型人才的重要教育模式，应积极回应我国现代职业教育高质量发展的时代诉求，在开展教育活动的过程中以质量和效益取代规模和速度，重点解决不平衡、不充分的问题，着力契合职业教育高质量发展导向，推动高职院校创业教育内涵式发展，为国家建设和经济发展注入人才驱动力。因此，在高质量发展背景下，高职院校创业教育必须着力加强四方面建设：第一，回归育人本质。不少高职院校创业教育重数量轻质量、重规模轻内涵、重短效轻长效的现象严重，在功利观念引导下一味地强调创业率和参赛率，并以此作为高校宣传创业教育业绩的手段，严重偏离了以生为本的教育宗旨。高质量发展理念强调职业教育应由追求规模扩张向质量提升转变，摒弃功利性思维，树立立德树人、德技并修的历史新定位，将“育人”作为创业教育的逻辑起点，着力培养具备企业家精神和开创型个性的技术技能人才。第二，强化职业教育类型特色，充分体现实践性、专业性和职业性。目前高职院校创业教育仍存在着类型定位不突出的问题，照搬本科模式使得职业教育自身特色被掩盖，导致人才培养供给与企业社会需求相脱节。《国家职业教育改革实施方案》指出，职业教育与普通教育是两种不同的教育类型，具有同等重要地位。职业教育应由参照普通教育办学模式向企业社会参与、专业特色鲜明的类型教育转变。因此，高职院校在开展创业教育的过程中应积极突破传统教育模式，充分体现高职教育特色，加强学校教育与社会各界之间的联系。第三，增强人才培养的适应性。高质量发展导向下产业升级、技术革新带来生产方式的变革，使得岗位对技术技能人才的需求也随之改变，需要人才具备较强的创造性思维、动手操作能力以及岗位胜任力。基于此，高职院校创业教育在人才培养的过程中需瞄准产业需求与发展趋势，在创业教育目标、课程体系、实践活动、师资队伍、运行机制等多方面紧贴地方产业优势和区域文化特色，提升创业教育的有效性和吸引力。第四，丰富办学形式。职业教育高质量发展要求完善产教融合办学体制、创新校企合作办学机制，实现校园到企业的有效延伸，打造职业院校开放式、多元化办学，激发学校主体办学活力。创业教育作为一种实践性极强的教育活动，应该加强校企、校地之间的联系，积极与本土企业、优质企业开展双边多边技术协作，共同参与课程教学、平台建设、师资培养等教育环节。

第二节　高职院校创业教育的现状与问题

一、环境建设滞后，全校性创业文化氛围尚未形成

笔者在调查中了解到，虽然各高职院校创业教育开展得如火如荼，但大多数师生认为校园创业氛围仍相对淡薄，重数量轻质量、重短效轻长效的问题依然严重，囿于对象精英主义、过程功利主义、课程线性主义等理念偏差和现实症结，高职院校在创业教育的环境建设方面并不尽如人意。当前高职院校虽然普遍开设了以创业政策介绍、创新思维开发、创业意识培训等为主要内容的创业类通识课程，但这类课程往往只在大一阶段开设，且一学年仅开设一到两门，导致教学效果不佳。此外，学校提供的创业信息不全面、创业服务平台形式单一、创新创业

榜样的宣传力度不够等问题也在制约着校园创业环境的建设。以上种种，使得大多数学生对“创业”“创业教育”等概念仍是模糊不清，不明白创业教育的意义所在，不理解创业与自身专业之间的联系，仍觉得创业离自己十分遥远，这就造成许多学生在参与创业教育活动的过程中出现兴趣减弱，投入度、参与度不足的情况，真正的参与者仅仅是少数有创业潜质的学生。笔者从访谈中还了解到，积极参与创业实践活动的总是那一部分学生，其余学生的积极性一般，即使参加了活动，其目的也是挣学分。由此可见，目前高职院校的创业教育无法满足各类学生的需求，更无法保证不同专业的创业教育特色，教育的针对性和广泛性都未能得到满足，全校性创业文化氛围尚未形成。

二、课程设置碎片化，教材缺乏高职特色

课程是创业教育实施的重要载体，课程建设的质量决定着创业型人才培养的质量。但在调查中发现，高职院校创业教育课程仍存在诸多短板，课程设计系统性弱、课程内容滞后、课程设置不合理、课程形态枯燥乏味等问题依旧存在。其中，课程设置和教材方面的弊端尤为突出。

在课程设置方面，由于缺乏完整的课程体系支撑，高职院校创业教育课程普遍有零散化、碎片化的倾向，基本是以公共基础课或通识选修课的形式呈现，且课时数少、不成体系。有不少教师表示，虽然学校提倡专创融合，但仅仅是空喊口号，未能落到实处，在课程设置方面仍是创业教育与专业教育“两张皮”，具体表现为：一是创业课程游离于专业课程体系之外，没有依托专业课程开展教学，课程设置缺乏系统规划；二是由于课程已经几乎排满，能够分配给创业教育的课时量所剩无几，很难再单独开设专门的专创融合类课程，课程设置存在“先天”不足。

在教材方面，笔者所调研的各所学校，普遍使用的仍是本科的创业教育教材，缺乏高职院校专用教材。据受访者反馈，目前高职院校创业教育的教材质量欠佳，内容以创业基础理论等概念性知识为主，跨专业知识、时代前沿信息、社会市场导向等嵌入不足，理论与实际结合不够紧密。因为使用的是本科教材，导致教材的针对性和吸引力都大幅减弱，部分内容并不能很好地适应高职学生的发展特色和学习需求。笔者从调查中了解到，虽然有个别学校自编了校本教材，但是教材内容仍是以创业基础理论知识为主，辅之以小部分的创业典型案例讲解，

教材的地方特色和校本特色并不明显。[①]

三、创业大赛功利化，育人功能发挥不足

在实践因子的相关调查中，创业大赛和校企合作被提及的次数最多，存在的问题也较为突出。其中，创业大赛是高职院校开展创业实践活动的重要实践载体，为教师群体和学生群体搭建了多样化的创业实践平台。但笔者综合学生和受访教师的调查结果发现，当前创业大赛的育人功能有所欠缺。其主要表现为：一是实用性不强，无法真正回归课堂。目前高职院校的创业大赛是一种体验式、模拟式的实践训练，属于第二课堂的范畴，由于第一课堂和第二课堂之间的联通互动机制尚未建立，导致创业大赛与课堂教学相互脱节，直接阻碍了创业大赛实践育人作用的有效发挥。同时，由于部分比赛项目的专业结合度低，不能很好地培养学生在参加创业大赛的过程中应用和掌握专业知识，造成专业学习与创业实践脱节。二是过于突出竞赛意味，弱化了育人本质。据受访者反映，不少学校的创业大赛在外部政策驱动下，过分追求“短平快”的效果，过度强调比赛项目的商业价值，忽视了内在的教育本质，偏离了创业教育的最终目的。三是成果落地难，无法形成产出。由于成果落地孵化服务体系的缺失，导致许多优秀的比赛项目孵化不足，甚至没有进行过落地孵化，导致创业大赛对学生的帮助严重受限。

创业教育的特性决定其在开展过程中需要关涉政府、社会、企业、高校、教师、学生等多方主体，其中，校企合作是至关重要的一环。然而，笔者在调查中了解到，大多数高职院校创业教育的校企合作深度不足，企业的积极性弱、参与度低，在实际操作过程中甚至扮演着相对边缘的角色。虽然个别学校有专门的校外企业导师，但这些导师的参与形式也仅仅是以进校做讲座为主，并未真正深度参与课堂教学。有的学校虽然邀请了企业专家指导学生的大赛项目实践，但由于费用过高等种种原因，一般都是在比赛后期才会有企业专家进校指导。除此之外，企业主动提供赞助的实践资源和创业基金也十分有限，缺乏自愿参与合作的本土企业。

① 王烨婷　高质量发展背景下高职院校创业教育问题及对策研究 [D]. 济南：山东师范大学，2023.

四、师资结构有失均衡，教学质量亟待提高

由于高职院校创业教育起步较晚，完备的专业化创业教育师资队伍尚未形成。从调查结果来看，当前高职院校的创业教育师资总体数量匮乏、师资力量不专业、师资结构不均衡等问题制约了创业教育的高质量发展。

高职院校创业教育师资主要由校内教师和校外企业导师组成。校内创业教师主要由辅导员等行政工作岗位的教师兼任，专职创业教师严重不足，这一现状造成创业教育质量推进受阻。一方面，这部分教师偏年轻化，教学经验不足，往往经过简单培训后即上岗授课，既缺乏系统的创业理论知识，又没有创业经历和企业管理经验，其自身可能就不懂创业教育，无法为学生提供有效指导；另一方面，兼职教师在开展创业教育教学的过程中往往精力不足，难以全身心投入创业教育教学之中。除此之外，创业师资与专业教师分离的现象也较为严重。笔者综合调查结果发现，学生对专业课教师担任创业师资的需求较大，但就目前情况而言，高职院校创业师资的专业化程度并不高，专业教师参与度低、积极性弱的问题在一定程度上阻碍了创业教育与专业教育深度融合，不利于学生创业实践能力的培养。

笔者通过调查还发现，在校外导师方面，企业兼职教师数量严重不足、质量参差不齐。由于校外兼职教师的企业工作任务已相当繁忙，再加之额外的创业教育教学任务，这部分教师在参与教学过程中分身乏术，最终选择了中途退出，导致校企协同育人流于形式。此外，校外兼职教师虽然具有丰富的企业实践经验，但是其对教学方面的了解十分有限，许多高职院校也没有开展对企业兼职教师的相关培训，导致这部分教师的教学质量达不到预期水平。

五、管理部门功能缺位，资金支持力度不够

笔者从访谈中了解到，多数高职院校创业教育一直由招生就业处、团委等部门负责管理，属于挂靠在这些部门的一项附属功能。由于没有建立学校层面的专门性管理部门，创业教育在管理机制层面存在各部门各自为政、各系部相互分离的现象。近年来，在国家政策的大力推动下，高职院校逐步将创业教育作为学校改革发展的重点工作。部分高职院校设立了创新创业指导中心、创业学院等专职性管理部门，旨在对创业教育实施统筹管理，但就目前情况而言，这些部门在不同程度上出现管理功能缺位、管理职责不清等弊端。据受访者反馈，由于创业教

育管理部门是近几年新成立的，在具体运行层面尚不健全，主要表现为院级政策推动与系部实际操作存在冲突。创新创业指导中心或创业学院仅将制定政策文件作为工作重点，没有很好地发挥强有力的组织管理作用，各系部相互分离的现状仍未得到改善。

资金支持力度不够也是制约高职院校创业教育质量提升的重要因素。综合调查结果显示，有将近一半的学生认为学校提供的创业基金并不能满足自己的学习需求，不少受访教师也反映学校在创业教育方面的资金投入十分有限，甚至没有设立专项资金提供支持和保障。由于创业教育的社会认可度不高，校企联投和社会风投在高职院校创业教育上的资金也寥寥无几，政府也仅在一定范围内提供资金支持，经费投入缺乏持续性、系统性。创业孵化基地、创业园等需要充足资金的实践平台，若缺乏资金支持则会导致平台建设水平低下、资源配备缺位，进而使不少学生的创业项目被迫中断。

第三节　高职院校创业教育高质量发展的策略

如今，我国高等职业教育正进入质量建设的进阶之路，以提质增效、增值赋能为主题的内涵式发展现已成为高等职业教育改革的主攻方向。在全面建设社会主义现代化国家的新征程上，职业教育急需为我国经济发展提供必要的人力储备和技术支撑。作为高职院校履行社会职责、提升创业型技术技能人才培养质量的重要平台，创业教育如何在职业教育高质量发展的背景下，向内增强人才培养的适切性、向外拓展协同联动的开放性，这既是一个重要的理论问题，也是一个亟待解决的实践问题。

一、以专创融合为核心，优化创业教育课程体系

创业教育课程关系着创业教育向内涵式发展的深度、广度和力度，是整个创业教育生态系统的中心环节。近年来，专创融合作为高职院校创业教育的未来发展趋势，已受到社会各界的普遍关注，但在多数高职院校中这一举措仍停留在口号上，尚未有效落实到实践层面，突出表现为创业教育课程与专业教育课程严重脱节。基于此，创业教育课程体系优化应以专创融合为核心，及时调整课程目标、

课程结构和课程内容，以满足创业教育高质量发展的需求。

（一）制定层次性的创业教育课程目标

课程目标既是高职院校创业教育课程的价值起点，也是课程内容、课程结构设置的关键准则，体现了学生通过学习创业教育课程，在知识、技能、情感、态度以及价值观等方面所期望达到的目标程度。当前，高职院校创业教育课程存在的种种问题大多源自课程目标偏差。课程理论专家拉夫尔·泰勒（Ralph W.Tyler）明确指出，课程目标是课程开发的起点，课程目标首先应该是清晰的，学校需要根据自己的价值取向确定符合自身特色需求的课程目标。基于此，高职院校创业教育课程目标需要因校而异、因人而异，真正体现高职特色和专业特色，以确保人才培养的适切性。结合高职院校的类型特色以及笔者对创业教育的理解，笔者将创业教育课程目标划分为整体目标和个体目标，旨在制定层次性的创业教育课程目标。①

为有效落实全校性创业教育，创业教育课程目标需要面向全校学生，满足学生群体的基本需求，将培养高职学生的创业基本素质作为创业教育课程的整体目标。高职院校创业教育的整体目标并不是将每一位学生都培养成具备创业能力的创业者，而是通过学习创业教育课程，使学生具备抵御风险的能力和勇于开拓创新的品质，能够通过学习创业教育反哺自身专业素养，对未来职业生涯的规划产生较为清晰的认知，最终成长为可持续发展的个体。

由于学生个体之间存在一定差异，创业教育课程目标也需要因人而异，针对不同专业、不同能力、不同意向的学生制定个性化的课程目标。一方面，针对有强烈创业兴趣和较强专业水平的学生，学校开设专门的创业教育课程，着重培养其创业能力，主要包括企业经营管理能力、实践能力、职业能力等。另一方面，不同专业与创业教育的结合度不同，所需要培养的人才指向也不同。创业教育课程目标应与专业相结合，基于专业特色进行个性化设定。

（二）设置系统性的创业教育课程结构

在调研中发现，创业教育课程设置存在碎片化、零散化的严重弊端，导致创业教育育人目标难以实现。基于层次性课程目标，在创业教育理念指导下，创业教育课程结构设计应着重强调系统性和阶段性，构建包括通识类课程、专业类课

① 徐莉．新升格高职院校内部治理能力提升研究 [J]. 合作经济与科技，2025（1）:111−113.

程、实践类课程为一体的创业教育课程体系，从而有利于发挥各类课程的优势与活力，最终达到有机整合。

通识类创业教育课程应面向全校低年级学生，提倡从大一第一学期开始授课，以公共选修课和必修课的形式呈现，旨在激发全校学生的创业意识和创业兴趣，普及创业基础知识。其中，必修课以创业启蒙为主，创业基础理论课程、创业导论课均属于此类。选修课以激发思维、培养兴趣为主，在兼顾不同学生发展需求的基础上设置种类丰富的课程门类。课程类型既可以涉及企业经营管理，也可以囊括区域经济发展特色，同时还可以开发校本类课程，更好地依据本校学生发展特点进行因材施教。

国务院办公厅《关于深化高等学校创新创业教育改革的实施意见》中明确指出，要促进专业教育与创新创业教育有机融合，调整专业课程设置，挖掘和充实各类专业课程的创新创业教育资源。由此可见，高职院校应重点开设专业类创业课程，以各系部为主体，依据不同专业的培养需求设置课程，旨在培养既善专业又懂创业的技术技能人才，使其能够结合自身专业开拓事业。一方面，学校应采取课堂渗透模式，在专业课程的教学活动中融入创业知识和创业理念，这能够在一定程度上解决创业教育课程课时量不足的难题。另一方面，学校应遴选一批适合专创融合的专业，增设专门的专业类创业课程，如在数字媒体艺术设计专业开设“设计者创业学”，在财务管理专业开设“中小企业创业实务”，在数控技术专业开设“技术创新与创业”。

为了更好地培养学生的创业实践能力，学校应在创业课程中大量融入实践元素，开设多样化的实践类创业课程。这类课程主要面向高年级学生开设，这部分学生经过之前的学习已具备一定的创业知识和专业技能，可以在参与实践的过程中实现自我能力的突破。实践类创业课程的开设形式主要有两种：一是以第一课堂为主，开设专门的创业教育特色班，讲授创业实务和创业计划书等实践知识，同时辅之以相关的模拟体验；二是以第二课堂为主，以创业实践活动为表现形式，如创业大赛、企业项目实践等，帮助学生综合运用所学的理论知识。

（三）完善融合性的创业教育课程内容

创业教育课程是否科学、合理，较大程度上取决于课程内容的设计。首先，针对创业教育课程内容单一以及与专业脱节的问题，高职院校应极大丰富创业教育的课程内容，推动课程内容的专业性、实践性和职业性的相互耦合。在设计课程内容的过程中，应充分考虑各专业学生特点以及不同专业知识的交叉渗透，走出专业教育与创业教育“两张皮”的现实困境，拓宽创业教育课程内容的范围。同时，课程内容应将重点放在创业基本素质的培养上，这有利于帮助学生寻找所学专业与创新创业的结合点，使其能够在未来的工作岗位上实现知识生产与价值创造。其次，创业教育课程内容应强调社会价值和时代创新，避免陈旧晦涩、浮泛空洞。一方面，课程内容应与岗位需求精准对接，多方面有效嵌入社会市场的动态信息，使学生通过学习创业教育能够更好地识别创业机会；另一方面，课程内容需要反映本专业领域的前沿知识，结合专业特色对创业案例进行讲授，提升学生对专业知识的领悟。此外，笔者通过调查发现，受访者普遍反映创业教育课程过于理论化，实践性内容占比太少，使得创业教育难以落地。因此，创业教育课程内容应加大实践占比，围绕岗位所需技能组织课程内容，并基于创业过程开发课程内容；同时，还可以加入具有区域特色和本校特征的实践典型案例，增强课程的实用性。

高职院校的创业教育教材普遍存在质量不高、内容单一、缺乏特色、选用随意等诸多问题。在现代职业教育高质量发展背景下，为完善创业教育课程内容，高职院校必须高度重视创业教育教材建设，依据我国高职院校创业教育的实施背景和发展趋势，研编出具备中国特色、区域特色和高职特色的多样化创业教育教材。同时，高职院校应主动与行业企业合作研发创业教育教材，保持教材内容的动态更新，以适应区域经济发展需求。

二、以实践育人为导向，打造创业教育实践生态

高职院校创业教育作为能力导向的实践教育，其实践教学环节既是提升学生创业实践能力的主要途径，也是促进创业行为转化的重要载体。然而，高职院校大力开展的创业实践活动普遍出现形式化、功利化现象，同时实践资源匮乏、实训条件缺乏、项目可操作性差等问题层出不穷。在高质量发展背景下，高校应主动与地方政府、行业企业开展创业教育协同合作，致力于为全校学生提供开放、有序的创业实践平台。

（一）整合资源，搭建校内外实践平台

创业实践平台能够为开展创业实践活动、孵化创业成果提供必要的基础性支

撑。大力推进创业实践平台建设，既是培养全体学生创业实践能力的需要，也是促进高职院校创业教育向纵深领域发展的重要举措。《关于推动现代职业教育高质量发展的意见》中强调，要推动职业学校在企业设立实习实训基地、企业在职业学校建设培养培训基地。然而，笔者在调查中了解到，大多数高职院校的创业实践平台难以满足实际教学需要，基础设施、师资、资金等资源配备都很欠缺，导致教学供给不足。与此同时，校外的创业实训基地匮乏，导致创业教育出现“闭门造车”的现象，教育质量大打折扣。因此，优化高职院校创业实践平台建设尤为必要。

第一，建立以高职院校为核心的校内创业实践平台。在教育生态理论指导下开展创业教育是一个系统工程，创业实践平台建设必须集聚政府、企业的资源优势，形成教育合力，共建校内实践平台。政府通过制定针对性的创业实践平台专项政策，加大政策优惠范围和资金投入力度，为高职院校创业实践平台建设提供强有力的政策支持。企业应积极参与校企协同育人，为高校建设创业实践平台提供理念、设备、技术、资金、人力资源等支持性要素，使校内实践平台更契合时代前沿和市场需求。高职院校应以立德树人为根本，以实践育人为导向，将校内硬件设施与校外资源相融合，搭建面向全校学生的模拟实践平台和创业孵化基地，为学生提供亲身体验创业过程和企业运营的场地。

第二，依托企业搭建校外创业实践基地。高职院校应与优质企业共同构建校企合作长效发展机制，以企业为主体建设校外实践基地，摒弃旧有的以高校为单一主体的封闭式教育理念。一方面，企业应为学生提供校外实习实训机会。通过安排顶岗实习、订单式培训等教学环节，使学生参与企业的生产实践过程，在实践锻炼中积累丰富的实战经验。另一方面，校企共建创业孵化基地，如科技园、创业园。这一类实践平台主要面向校内优秀的创业项目和较为成熟的大学生创业团队，为其进行创业成果孵化提供优惠的场地、培训以及咨询服务。通过校外实践基地的搭建，形成“校内培养、校外孵化”的良性实践生态，使创业型人才培养更好地对接产业需求。

第三，鼓励开展形式多样的创业实践活动。丰富的创业实践活动有利于拓展创业教育第二课堂，构筑理论教学与实践教学之间的联动互通机制，以此更好地培养学生的创业实践能力。笔者在调查中了解到，创业社团是高职院校创业实践活动的主要平台，承担着创业实践活动的策划、宣传、组织等工作。但由于全校性创业文化氛围尚未形成，创业社团的参与者仍是一小部分学生，社团成员的广泛度不足。因此，学校应加强创业社团建设，一是以学生需求为导向，注重创业社团对学生的个性化培养。社团活动内容依据不同专业和年级进行分类，有利于保持创业社团的持久活力。二是以学生主体作用的发挥为主，鼓励学生自建、自治创业社团，教师扮演引导者的角色，将社团的日常运行真正放权到学生手上。三是为学生提供丰富多样的创业社团活动。为鼓励学生能够积极参与创业实践活动，高校应结合自身办学优势和学科专业特色组建多样化的创业社团，如创新创业协会、创客工坊、创业兴趣小组等，推动社团多元化发展，满足全校学生需求。

（二）以赛促创，遵循实效性价值取向

创业大赛作为创业实践活动的又一重要组成部分，既是评价和检验高职院校创业教育改革成效的关键指标，也是增强学生个体能力素质的重要平台。当前，各高职院校高度重视创业大赛，“互联网 +”大学生创新创业大赛、大学生科技创新大赛、“挑战杯”大学生创业计划竞赛等各项赛事层出不穷。创业大赛已成为高职院校开展创业教育的主要形式之一。但笔者经调查发现，当前高职院校创业大赛华而不实、急功近利的风气较为严重。为保证创业大赛能够发挥出卓有成效的育人价值，高职院校应从以下四个方面进行改革。

第一，革新创业大赛理念。创业大赛归根结底是一种面向全体学生的教育实践活动，旨在通过比赛的形式完成对学生创业素质的培养。因此，高职院校在举办创业大赛的过程中，应秉持育人为本的赛事理念，回归以赛促教的本质，弱化竞赛意味，遵循实效性价值取向。一方面，学校需要根据本校专业特色和学科优势开展创业大赛。以创业教育目标为标准设计和筛选比赛项目，有效激发学生潜在的创业潜能，锻炼学生的专业技能和创业能力。同时，学校应主动营造积极的校园文化氛围，利用宣传栏、网站、公众号、讲座、课程等多种形式帮助学生树立正确的参赛观。另一方面，创业大赛的比赛项目需要对焦产业标准，紧跟经济发展趋势，深化对创业项目市场价值的思考，以实现以赛促创的价值追求。

第二，增强比赛项目的专业性。高职院校创业大赛与本科院校创业大赛的最大区别在于，本科院校创业大赛关注创业项目研发，更强调学术性和科研性，而高职院校创业大赛则更突出职业性和技能性，以产教融合、专创融合为主要形式。基于此，高校需要提高创业大赛的针对性，在选择和设计创业项目时充分考虑高

职特色，重点关注各专业领域的痛点问题，培养学生运用所学专业知识解决问题的能力，避免创业大赛项目出现华而不实的现象。

第三，鼓励师生共创。为保证比赛的价值性和实效性更加凸显，学校应组建专业化的创业导师队伍对参赛学生进行指导，尤其鼓励更多的专业教师参与大赛指导工作，这有利于保证创业项目的专业性和创新性。为保证项目质量，调动教师参与创业教育的积极性，学校应动员教师和学生组队参赛。在这一过程中，教师不仅是学生的指导者，而且是比赛的参与者。师生在参赛过程中共同创新、共同进步，合作开发创业项目，可扭转传统观念下“师导生创”的陈旧模式，营造“师生共创”的良好文化氛围。

第四，建立“政校企”三方联动的孵化机制。笔者在访谈调查中发现，有不少受访者反映学校的创业孵化机制不健全，甚至有些学校并没有为参赛项目提供相关的孵化落地服务，这就导致很多优秀的创业项目被迫中断，成果的利用率和转化率难以保证，高职院校创业教育与社会需求无法形成真正意义上的有效对接。因此，学校应联合政府和企业共同搭建校内外创业孵化平台，构建高效的孵化服务体系，为学生提供资金、场地、技术、咨询等多重便利。其中，校内孵化平台能够孵化具有发展潜力的比赛项目，这对创业项目的成长起着重要的支持作用。政府应提供政策扶持和充足的资金支持，帮助学校搭建全真创业孵化平台，为学生创设真实的企业经营环境，实现创业项目与市场之间的有效对接，为项目真正落地打好基础。校外孵化平台主要依托校企合作协同育人机制，借助企业资源共建创业孵化基地，延伸高校办学空间。校外孵化平台直接面向市场，通过多元化、科学化的管理模式，使更多的创业成果得以顺利转化，从而推动区域经济高质量发展。

三、以激励培育为重点，构建创业教育师资队伍

创业教育师资队伍既是高职院校创业教育生态系统的内源性要素，也是推动创业教育高质量发展的核心力量。当前，师资问题已成为制约高职院校创业教育向纵深推进的最大短板。能否有效提升高职院校创业教育的整体师资水平和教育教学能力，将决定未来高职院校创业教育的发展能否达到预期高度。

（一）内驱外引，完善创业教育师资结构

笔者通过调查了解到，当前高职院校创业教育师资结构极不合理，校内教师

专业化程度低、校外兼职教师匮乏的问题层出不穷，严重影响了创业教育人才培养质量。高质量师资紧缺带来的结构性不合理需要从内驱外引上进行突破。

在内部驱动上，要着力构建创业教育师资的激励机制，采取多样化措施调动校内教师主动投入创业教育工作的积极性。尤其是在当前专业教师参与度普遍偏低的情况下，如何调动专业教师的内发性动力，吸引更多的专业教师转型为创业教师，已成为完善创业教育师资结构的着力点。一方面，高职院校要强化内在激励措施。笔者在访谈中发现，高职院校对于创业教师的目标激励和情感激励仍处于缺失状态。基于此，学校可以根据专业背景、教学任务等因素为教师设定切实可行的教学工作目标，使教师明确其在创业教育中的职责，激发教师对实现目标的期望，使教师从完成目标中获得成就感，并全身心投入下一阶段的工作中。学校还可以采用情感激励法，满足创业教师群体和个体的情感需求。例如，校领导可以积极组织教师沙龙、教学研讨等活动，深入了解教师在工作和生活中的困难与需求，使教师感受到学校对自己的尊重与关怀，进而在未来工作中愿意充分发挥自身的创造潜能。此外，学校应加强对教师的培训激励，定期组织教师外出培训交流、入企挂职锻炼等，保持培训效果的长效性。同时，高职院校应针对不同专业背景和教学水平的教师组织创业师资专项培训，以便能够有效提升师资队伍质量。另一方面，高职院校要持续跟进外在激励措施。一是加强物质激励力度，保证教师的实际教学工作量与薪酬奖励相匹配，使教师感受到劳有所得的满足感。二是强化精神激励措施，包括颁发荣誉证书、表扬鼓励等，使教师通过从事创业教育不断提升自己的职业声誉，获得来自精神层面的尊重与肯定，产生强烈的成就感。三是优化职称评定制度。职称评定是一种兼具物质激励和精神激励的手段，能够对教师产生强有力的激励作用。高职院校应建立完善、系统的评定标准和评价方式，将创业教育教学工作纳入职称评定制度中。同时，学校要制定创业教师的长效考评机制，防止部分教师在取得职称后产生消极懈怠的态度。综上所述，高职院校应建立内在激励与外在激励相结合的激励保障机制，不断完善师资结构，以此推动创业教育质量提升。

在外部吸引上，高职院校应充分调动学校的有效资源，开辟多元化的校外创业师资队伍。第一，学校可以通过构建校企协同育人机制，吸纳具有丰富实践经验的创业成功人士、企业管理人员以及企业技术骨干担任校外创业导师，为学生传递产业前沿信息、行业发展动态等极具创新性的创业知识，同时指导学生结合专业开展创业项目实践和在企实习培训，帮助学生将创业理论知识有效落地。此外，应广泛吸纳本土化企业兼职导师，这既有利于结合区域产业发展实际，又能够更便利地参与校企合作。第二，高职院校可以充分利用校友资源，邀请优秀校友进校开展创业讲座和创业论坛，分享创业经历和企业实践经验，从而开阔学生视野，营造浓厚的创业文化氛围。第三，学校还可以邀请创业领域的专家和学者进校授课，这类教师既可以培训其他创业教师的教学技能，也能够担任创业大赛的实践指导专家。

（二）选聘培训，提升创业教育师资质量

中共中央办公厅、国务院办公厅印发的《关于推动现代职业教育高质量发展的意见》中指出，职业教育教学改革要重点完善教师招聘、专业技术职务评聘和绩效考核标准。支持高水平学校和大中型企业共建双师型教师培养培训基地，落实教师定期到企业实践的规定。由此可见，完善教师选聘和培训制度是提升职业院校师资质量的关键举措。

在师资选聘方面，高职院校应着力构建创业教育教师的管理评聘机制，建设创业导师库，统筹管理创业师资队伍。笔者在一项问卷调查中，设计了一道排序题："您最希望由哪些人担任创业教育教师？"结果显示，排在前两位的分别是有创业经验的教师、专业课教师。由此可见，学校在选聘创业教师的过程中应倾向于此类教师，以利于在师资配备方面充分契合学生需求。同时，应有针对性地设置严格的岗位选聘和考核制度，以实现人岗匹配，保证创业教育师资质量。

在师资培训方面，学校要注重培训机制的长效性，充分调动各方资源为创业教师定期安排培训活动。针对新手教师要先培训后上岗，使教师具备一定基础的知识能力水平，进而保障课堂教学质量。学校应开辟多样化的培训方式，包括：安排创业教师到创业教育典型高职院校交流学习，帮助创业教师开拓视野、丰富经验；组织教师定期入企培训，提供企业挂职锻炼的机会，掌握产业前沿的新技术、新工艺、新业态，弥补自身创业经验不足的短板；充分利用信息化技术丰富创业教师培训渠道。此外，学校还应运用互联网技术搭建创业师资专业发展平台，为教师自主学习提供多样化的便利条件，形成线上线下深度融合的创新创业教育教师培训体系。

第六章　“双高计划”背景下高职高质量发展研究

第一节　高职高质量发展的实践样态分析

对“双高”院校发展实践样态的分析是了解其发展现状的前提。从发展水平上看，作为高职教育领域的“标杆”，56 所“双高”院校具有丰富的办学经验和优秀的办学成果，分析总结其实践样态，有利于发挥其“龙头”作用；从地域看，56 所“双高”院校分布在全国东部、中部、西部等多个省份，分析总结其实践样态，有利于分析我国不同文化地域下高职教育发展的差异，促进高职教育的协调和可持续发展。另外，职业教育质量年报制度是职业教育树立质量发展观、接受社会监督的重要举措，也是职业学校全面提高人才培养质量的重要措施。高等职业教育质量年度报告是职业教育年报制度落实的表现，年报是国家的规定工作，自 2012 年至今已经连续发布 10 余年，覆盖范围广且真实性较高。在本章中，笔者通过对 56 所“双高”院校进行分析以点带面展开高职高质量发展研究。

为了解“双高”院校高质量发展的实践样态，笔者综合采用 Nvivo 质性分析和内容分析相结合的方法，对各院校年报的具体内容进行分析。高等职业教育质量年度报告主要构建了“学生发展—教学改革—国际合作—政策保障—服务贡献”5 个板块的质量维度，其中“学校概述”“面临挑战”等内部不做研究。笔者首先采用 Nvivo11 质性分析软件，该软件可以以“词汇云”的形式，实现对院校年报文本词汇频数的自动统计，“词汇云”中字体的大小表示该词汇出现的次数多少，字体越大即出现的次数越多，反之越少。这种方式下，软件自动将相同含义的词语归为一组进行频数查询，如“合作”“联合”“协作”等将归为一组。年报中频次较高的词有技术、教学、学生、课程、教师、创新、人才、企业、技能、质量、培训、合作等（同时将部分词添加至禁用词列表），说明技术技能、人才培养、教师发展、教学与课程、学校与企业、质量与合作等是年报的重点和质量观测点。但这种统计具有一定的局限性，主要源自词频查询中对“词频条件”的选择。若选择“具有最小长度为 2”，即词语字数为 2 时，结果会将“院校治理”拆分成“院校”和“治理”两个词汇，但若“具有最小长度为 4”，又会将二者合并，因此“词汇云”只能在一定程度上表明“双高”院校年报的主要观测点。

为展开深入分析，笔者利用 Nvivo11 质性分析软件，以院校年报 5 个板块的主标题部分作为父节点进行一级编码，并以二级编码于各父节点下分别进行 25 项子节点的编码，部分进行三级编码，每进行一次编码则相应增加一个参考点，即在某节点下可供参考的相关信息，最终汇总为参考点数量；同一节点下的参考点数量占年报总内容的百分比就是覆盖率，各表下的“覆盖率”数值是同一节点下 56 个材料来源覆盖率的加总。从编码结果看（如表 6–1 所示），5 个板块是各院校的主要观测点，与父节点编码情况较为一致。

表 6–1 父节点编码情况

父节点	材料来源数量	参考点数量	覆盖率
学生发展	56	56	0.56%
教学改革	56	56	0.56%
国际合作	56	56	0.56%
政策保障	55	56	0.56%
服务贡献	56	56	0.56%

整体来看，56 所“双高”院校的质量观测点一致，且涵盖范围较为广泛。这与我国职业教育质量年报制度密切相关，但从材料来源数来看，各院校年报文本存在一定差异性。为进一步了解各院校的质量观测点的差异，研究将 5 个子节点编码情况进行整理。

一、人才培养关注学生整体发展，尤其关注就业质量

人才培养是高职教育的核心产品，反映在“双高”院校质量年报中则体现在“学生发展”这一层面，主要涉及“立德树人”“招生情况”“在校体验”“创新创业”“就业质量”“职业发展”等方面（如表 6–2 所示）。其中，“立德树人”是人才培养的根本任务，主要通过课程育人、文化育人、场馆育人、工匠精神和劳模精神培育等内容进行；“招生情况”主要通过招生方式、生源分布、生源类型、生源结构、生源规模及在校生数量等内容反映院校的生源情况；“在校

体验”对学生的成长成才和个性化发展发挥着积极作用，涉及学生服务、教学管理、资助服务、后勤管理等内容，如社团活动、技能竞赛、奖学金资助等；“创新创业”是激发学生发展活力的重要内容，涉及创新创业教育、创新创业大赛、自主创业等内容；“就业质量”是学生发展结果的体现，也是院校培养成果的反映，主要以各主体的满意度为衡量指标，如就业率、毕业生满意率、雇主满意率、毕业生就业工作与专业相关度等；“职业发展”是院校对毕业生后职业发展的追踪，也是改进院校人才培养质量的重要抓手，涉及职业稳定性、薪资增长、职业晋升等内容。由表 6–2 可知，在“学生发展”这一层面，“双高”院校普遍着重关注学生的“就业质量”，即关注以结果为导向的人才培养质量。相比其他质量参照点，“职业发展”在“双高”院校中的关注度普遍较低，尤其与“就业质量”相比，即以过程为导向的人才培养质量的“职业发展”的关注度较低。从编码结果看，“职业发展”子节点的材料来源数为 39，也就是说有 17 所院校较少涉及或是缺少这一节点的相关表述；从编码内容看，多数院校在该节点关注的内容在于“毕业生年薪”“毕业生升学”等情况，缺少对学生毕业后的职业发展追踪。

表 6–2　“学生发展”子节点编码情况表

子节点	材料来源数量	参考点数量	覆盖率
立德树人	52	224	1.69%
招生情况	37	120	0.88%
在校体验	55	300	3.12%
创新创业	56	214	1.20%
就业质量	56	315	1.45%
职业发展	39	133	0.91%

二、资源配置以专业、课程、师资建设以及产教融合为主要内容

教育教学的资源配置是高职教育发展的前提和基础，反映在“双高”院校质量年报中则体现在“教学改革”这一层面，涉及“专业建设”“课程建设”“人才培养”“师资建设”“产教融合”“信息化建设”等方面（如表 6–3 所示）。其中，“专业建设”是“双高”院校发展的重中之重，涉及专业建设、品牌专业群建设、专业动态调整机制等；“课程建设”涉及课程资源建设、实践教学、教材建

设改革、混合式教学等；“人才培养”在这一层面更多反映在人才培养方案、人才培养模式等方面，如“1+X”人才培养模式改革等；“产教融合”是贯穿高职教育发展的主线，涉及校企合作机制、产业学院、职教集团、现代学徒制等方面的深层合作等；“师资建设”是高职教育的关键资源，涉及师资总量及结构、“双师型”创新创业教师队伍、教师国际化、考核激励机制等；“信息化建设”是高职教育重要的现代化资源，对推进高职办学水平现代化水平意义重大，涉及信息化资源和信息化教学环境（如智慧校园、教学资源建设），以及信息化能力提升（如教师的信息化素养与能力、信息化管理与信息技术应用）等内容。由表 6–3 可知，在“教学改革”这一层面，“双高”院校普遍关注包括“师资建设”“产教融合”“课程建设”等在内的教育资源，呈现出较为协调的发展态势。因此，在现代化社会中，信息化建设理应成为建设重点。

表 6–3　“教学改革”子节点编码情况表

子节点	材料来源数量	参考点数量	覆盖率
专业建设	56	239	0.83%
课程建设	54	315	1.63%
人才培养	54	248	1.25%
师资建设	56	314	1.57%
产教融合	55	282	1.82%
信息化建设	43	160	0.86%

三、国际化要素流动差异明显，以人员和办学机构流动为主

国际化是高职教育增强国际竞争力的重要路径，反映在“双高”院校质量年报中则体现在“国际合作”这一层面，以高职教育国际化“双向思维”框架为基础，方向上分为内向型国际化与外向型国际化，要素上主要涉及“人员流动”“项目传输”“办学机构流动”“标准流动”4 个方面的内容。其中，“人员流动”包括师生互访互学；“项目传输”包括特许项目、双学位或联合学位项目等；“办学机构流动”包括合作办学、设立国外独立院校、搭建平台等。由表 6–4 可知，在内向国际化中，以人员和办学机构流动为主，其覆盖率分别为 0.24% 和 0.32%，而项目传输和标准输入覆盖率仅为 0.19% 和 0.17%；在外向国际化中，以项目传输和标准输出的覆盖率较高，分别为 0.36% 和 0.43%，但其材料来源数却较低，

仅为“双高”院校数量的一半，而人员流动和办学机构仍占大部分。其中，人员流动的状况，多以“国（境）外人员培训量”“专任教师赴国（境）外指导和开展培训时间”为重点，而“在国外专业性组织担任职务的专任教师数”“全日制国（境）外留学生人数（一年以上）”的等发展较为薄弱；外向型国际化主要表现在标准输出上，当前仅28所院校在“标准输出”方面做出了努力，但以专业教学标准和课程标准为主，缺少培训、技术技能等标准的开发与输出。可见，“双高”院校国际化以人员和办学机构流动为主，外向国际化发展弱于内向国际化发展，且要素流动差异明显。

表6–4　“国际合作”子节点编码情况表

子节点	三级编码数	材料来源数	参考点数量	覆盖率
内向国际化	人员流动	50	132	0.24%
	项目传输	33	52	0.19%
	办学机构流动	29	50	0.32%
	标准输入	9	13	0.17%
外向国际化	人员流动	42	85	0.35%
	项目传输	22	40	0.36%
	办学机构流动	31	66	0.30%
	标准输出	28	74	0.43%

四、组织治理普遍重视相关外部保障，内部质量保障着力较弱

内部保障与外部保障构成高职教育发展的双重保障基础，反映在“双高”院校质量年报中则体现在“政策保障”这一层面，主要涉及“政策支持与落实”“经费保障”“专项实施”“质量保障”“院校治理”等内容（如表6–5所示）。其中，“政策支持与落实”涉及各项保障政策的引导与落实，如落实国家、省“双高计划”建设、高职百万扩招任务等竭力落实改革举措；“经费保障”涉及各项经费投入与支出、经费保障等；“专项实施”涉及专项引导与实施，主要实施国家职教项目，如“双高计划”项目、现代学徒制试点经验与成果推广、专业资源库升级改进项目等；“质量保障”主要涉及质量保障体系的建设与运行，如体系建设、平台建设与运用、质量文化建设、质量监测与评价等；“院校治理”涉及

治理体系建设、治理结构完善、管理体制机制改革等内容。由表 6–5 可知，“双高”院校普遍重视院校的经费投入与相关政策的落实等外部保障，但在内部质量保障上着力较弱，如专项实施、院校治理方面明显重视不足。[①]

表 6–5 “政策保障”子节点编码情况表

子节点	材料来源数数量	参考点数量	覆盖率
政策支持与落实	50	82	0.94%
经费保障	56	112	1.03%
专项实施	26	83	0.92%
质量保障	52	140	1.77%
院校治理	36	102	1.14%

五、服务能力多元化，以服务区域发展的能力最强

积极进行技术创新，服务经济社会发展是高职教育的重要任务和使命，反映在“双高”院校质量年报中则体现在“服务贡献”这一层面，主要涉及“服务区域发展”“服务国家战略”“服务科研创新”“服务终身学习”等内容（如表 6–6 所示）。其中，“服务区域发展”是高职院校的重点，涉及技术技能人才的输送、中小微企业发展、产业发展、技术培训与服务、社会培训与服务以及职业教育发展等内容；“服务国家战略”涉及乡村振兴、“一带一路”建设、“中国制造 2025”等战略；“服务科研创新”是反映高职院校创新能力与创新活力的重要内容，涉及完善科研激励机制、校企共建创新平台合作开展技术攻关、开展纵向课题研究以及技术研发、成果转化助力产业提质培优等；“服务终身学习”主要涉及院校师生的终身可持续发展，包括师资继续教育与培训、建立终身教育体系助力学生学历提升等，与社会培训与服务层面的终身可持续发展相区别，后者主要体现在“服务区域发展”中。高职教育的服务贡献能力呈现多样化的趋势，其中以服务区域发展的能力最强。由表 6–6 可知，在“服务区域发展”这一层面，相比其他方面，“双高”院校偏向社会培训与服务，在促进区域职业教育发展的中小微企业发展的能力则较为薄弱。“服务科研创新”是服务中小微发展的重要推手，有助于加快应用技术创新与服务，通过技术研发、技术成果转化等形式反映在推进产业与企业发展之中，并通过各院校年报附表中各院校公布的“技术服务

① 赵熹．高职院校产教融合的研究与实践 [M]．西安：西北大学出版社，2022.

到款额”“技术交易到款额”“纵向科研经费到款额”等加以反映。整理发现，30所院校的技术服务到款额达到500万元以上，但技术交易到款额达到500万元以上的院校仅有23所，纵向科研经费到款额达到500万元以上的院校也仅有26所，（其中，河北某校和湖南某校未公布相关数据）。可见，这一内容在“双高”院校中还未发展成普遍共识。

表6–6 “服务贡献”子节点编码情况表

子节点	三级编码	材料来源数量	参考点数量	覆盖率
服务区域发展	技能人才输送	31	50	0.64%
	中小微企业发展	28	50	0.56%
	产业发展	20	49	0.66%
	技术培训与服务	48	87	0.93%
	社会培训与服务	54	116	1.46%
	职业教育发展	18	27	0.37%
服务国家战略	/	43	45	0.52%
服务科研创新	/	41	99	1.11%
服务终身学习	/	14	28	0.38%

第二节　高职高质量发展的现实困境分析

一、人才培养偏重“就业导向”，忽视可持续发展能力

服务学生的终身学习和个人生涯发展是高职教育人才培养高质量发展的关键所在，但当前高职教育在人才培养上更多偏向结果导向而忽视了人才培养的过程，难以服务于人才的可持续发展。在“学生发展”实践样态分析中“双高”院校普遍关注“就业质量”这一指标，主要以量化指标衡量，包括就业率、雇主满意率、毕业生就业工作与专业相关度等。如北京“双高”院校通过梳理近3年的毕业生就业情况进行就业率横向与纵向对比，江苏“双高”院校将2019和2020的毕业生就业率、雇主满意率、毕业生就业工作与专业相关度等进行增量比较，其实质是结果导向的质量观测点。“职业发展”是对毕业生职业发展的过程追踪，涉及职位晋升、职业稳定性、薪资增长等内容。如北京某院校2020年毕业生毕业

3年内职位晋升比例为91%，江苏“双高”院校将毕业生对现状的满意度、工作与个人期待的吻合程度以及职业中期的晋升与发展等内容纳入考察范围，将毕业生在其职业生涯初期的成长与发展作为“职业发展”的重要考察内容，极大程度上反映了毕业生的就业竞争力和可持续发展能力。“双高”院校对于这一观测点的关注度普遍较低，部分院校将“就业质量”与“职业发展”两方面内容综合体现在年报的学生发展附表中，未做出进一步说明，甚至不包含“职业发展”的具体内容。

二、教学资源整合不协调，信息化资源建设薄弱

资源的优化配置是实现高职教育高质量发展的前提和基础，而信息化资源建设是增强高质量发展适应性、推进高职教育现代化发展的重要组成部分，但当前高职教育在资源配置上整合不协调，尤以信息化资源建设薄弱最为突出。在“教学改革”实践样态分析中，“双高”院校普遍关注产教融合、课程建设、师资建设等方面，材料来源数基本涵盖56所院校，但信息化资源建设材料来源数仅为43所院校，可见院校对信息化资源建设的关注整体较低。而且，在已有院校的信息化资源建设方面，大部分院校更多注重硬资源的建设，如进行大规模网络建设、多媒体教室建设等，只有少数院校同时兼顾软资源建设，包括注重信息化软件的开发、教师的信息化素养和信息技术应用能力以及信息化管理者的组织、协调与治理等能力。例如：常州机电职业技术学院在推进校园智能支撑新环境建设、推进信息系统建设的同时，提出提升教师信息化应用能力，且通过构建“1+N”校企合作智慧校园建设模式，助力学院与地方发展，成为江苏省智慧校园示范校等；江苏经贸职业技术学院实施“智慧经贸”工程，提升全校信息化软硬件水平，同时，还通过完善信息化建设工作管理办法、网络与信息安全管理办法等一系列规章制度建设，切实从师生需求出发，进一步规范信息化建设与管理流程。由此可见，只有兼顾信息化软硬资源建设才能提高资源利用效率，使其发挥应有价值。①

① 曾令奇.教育科技人才一体推进职业教育高质量发展：内涵、逻辑与路径[J].职业技术教育，2024，45（34）：6-14.

三、国际化以人员和办学机构流动为主，外向国际化发展能力不足

国际化发展是高职教育提高国际竞争力的重要路径，而外向国际化是打造中国特色高职教育品牌的关键，但当前高职教育国际化发展以人员流动和办学机构流动为主要形式，外向国际化发展能力不足。一方面，“双高”院校过于关注以人员简单流动为主的国际化形态，忽视了培养全球胜任力。教师和学生作为高职院校的重要主体，在国际化发展中发挥着不可或缺的作用。高职教育国际化高质量发展不是简单的教师互派和学生互换，而是要着重培养师生的全球胜任力，从而使学生培养和教师工作能够获得更好的支持，提升其在国际舞台的竞争优势和工作效能，实现高职教育国际化发展的内涵式发展。纵观56所“双高”院校人员流动的状况，多以“国（境）外人员培训量”“专任教师赴国（境）外指导和开展培训时间”为重点，而“在国外专业性组织担任职务的专任教师数”“全日制国（境）外留学生人数（一年以上）”的发展指标明显较为薄弱。短期的国际化交流与培训对拓宽师生的国际化视野和了解国际职教文化等具有一定积极作用，但很难全面提高师生的国际化素养和能力，对培养师生的全球胜任力具有较大局限性。另一方面，外向型国际化是发展重点，在“国际合作”实践样态分析中，“双高”院校普遍关注内向型国际化，包括人员、项目、办学机构、标准等的流入，而以标准输出为主的外向型国际化发展的能力有待提升。由上节中表6–4可知，当前56所“双高”院校中仅有一半的院校在“标准输出”方面做出了努力，职教标准输出类型单一，以专业教学标准和课程标准为主，缺少培训、技术技能等标准的开发与输出。例如：河北工业职业技术学院开发并被国（境）外采用的专业教学标准数4个，开发并被国（境）外采用的课程标准数40个；长春汽车工业高等专科学校先后与德国、英国等多家外资企业联合制定了12个教学标准和21个课程标准，这些标准得到国际社会的认可。此外，高职品牌效应不强，目前主要以“鲁班工坊”这一品牌进行辐射输出，不足以支撑中国特色的高职教育实现可持续发展。

四、过分依赖外部政策导向，院校治理内生动力不足

政策保障是高职高质量发展的重要前提，但当前高职教育过分依赖外部政策导向，院校内生动力不足。在“政策保障”实践样态分析中，“双高”院校普遍关

注财政投入和政策支持等方面，但在具体的政策制定与落实方面存在较大问题，且针对教学质量的诊改和院校治理水平的提升明显重视不足。一方面，政策引导与支持主要以落实国家颁布的职业教育政策为主，如《国家职业教育改革实施方案》《职业教育提质培优行动计划（2020—2023）》等文件，并在具体实施中遵循国家相关政策，如院校遵照实施《教育部办公厅等六部门关于做好2020年高职扩招专项工作的通知》开展社招并实施教学，贯彻执行《教育部办公厅关于做好扩招后高职教育教学管理工作的指导意见》针对扩招生源特点，分类制定人才培养方案等。但大多数院校未针对自身发展制定相关政策，如根据《教育部等四部门关于印发深化新时代职业教育“双师型”教师队伍建设改革实施方案的通知》制定教师企业实践管理办法、教师自我诊断与改进实施办法、工匠型教师培育评选办法等制度。

五、服务水平集中于区域发展，且技术服务和科技创新能力不足

服务贡献水平是高职教育高质量发展的终极呈现，高职教育的跨界性和复杂性决定了其服务水平突出表现出多样化趋势，但当前技术服务和科技创新能力明显不足。在“服务贡献”实践样态分析中“双高”院校普遍关注“服务区域发展”这一指标，主要包括技能人才输送、中小微企业发展、产业发展、技术培训与服务、社会培训与服务以及职业教育发展几个维度（见上节中表6-6），其中“社会培训与服务”这一维度受到普遍关注，这是由于我国致力于建立终身学习的教育体系以及倡导学习型社会决定的；其次关注“技术培训与服务”“服务国家战略”“服务科技创新”等方面，但通过编码情况表可以看出，这些节点的材料来源数分别为48、43、41，均在50以下，很大程度上说明高职院校对这些方面缺乏普遍关注，呈现出明显差异性。

第三节　高职高质量发展的推进策略

一、创新人才培养目标，育人与产业发展同向转变

（一）以培养适应型人才为首要目标，兼顾培养引领型人才

一方面，经济高质量发展要求高职教育把培养适应新经济、新业态的高水平技术技能人才放在首位。高职院校要紧随产业发展需求优化专业设置、课程结构、教学标准：根据当前的产业发展需求，动态调整专业，培养急需的技术技能人才；合理分配理论课程与实践课程的学时，在基本理论知识掌握的基础上，增加实践课程学时，提高专业技能，邀请企业专家开展行业最新信息的相关讲座；开发对接职业标准、国家技能标准的专业教学标准，提高高职学生就业的对口性和针对性，以便拥有足够的岗位胜任力进入企业实习和工作。另一方面，要做到高职教育先行，培养引领型人才。国家层面要加强顶层设计，制定国家引领型人才培养中长期规划，在高职教育中确定具有牵引经济发展潜力的专业方向和领域，并根据变化动态调整专业及相关领域。院校层面要建立产学研协同培养引领型人才共同体，“双高”院校牵头试点先行，与政府、行业企业以及社会机构等利益主体协同建立，签订成果共享、责任共担的“契约”，保障人才培养质量。

（二）创新人才培养理念，实现人才可持续发展

高等教育普及化背景下，教育不仅是人的发展工具，而且越来越成为人的生存方式，获得性、体验性和生长性是职业教育高质量发展的基本特征，这要求高职教育要实现人才培养可持续发展的目标，服务人的终身发展。当前56所院校普遍重视就业质量，侧重关注结果导向的质量，亟须从“就业导向”转向“职业发展导向”、从结果导向转向过程导向。高职教育虽是以就业为导向的教育，但就业质量受学生知识水平与专业技能的影响，同时学生的职业发展更是彰显高职就业质量高低的关键指标。一方面，高职院校要坚持立德树人的根本任务，培养适应经济高质量发展的全面发展的高素质技术技能人才，同时，积极与企业开展合作，为学生提供就业实习的机会，专业教学标准对接职业标准与国家技能标准，为

学生提供相关的职业资格证书、职业技能等级证书等，为学生在校发展和未来职业发展奠定坚实的基础。另一方面，要积极开展职业发展教育，包括职业生涯规划、求职择业指导等内容。在这个教育过程中，教师要采用不同的教学方法、分专业进行职业发展教育，以培养学生的职业意识、提升学生的职业规划能力，为今后的就业和创业打好基础。此外，学校还要关注学生职业发展，对毕业生开展职业生涯发展追踪，密切关注毕业生的职业变化、职位晋升、发展机会等情况，形成针对性的追踪报告以对人才培养和教育教学等方面及时诊改，服务于人才可持续发展。

二、创新资源配置方式，增强教育资源适应性

（一）以市场需求为导向，创新资源配置方式

坚持资源的市场配置方式是优化高职资源配置、实现高职教育可持续发展的关键。高职教育要以市场需求为导向，根据区域经济和区域产业发展对人才的需求，调整人才培养方案，以市场需求为基准灵活调整专业结构、开发课程和教材等，解决区域人才不足的问题，呈现出高职教育的区域办学特色。高职教育应通过与中小微企业合作，输出专门性人才，将高职教育的师资、科研优势与企业的需求、技术优势等资源组合起来，使得定位更加明确，有效发挥资源的双重作用，提高资源的利用效率。此外，高职教育还要协调企业文化与校园文化，形成共识的价值体系。通盘考虑资源配置时，必须注意到企业与学校内部文化层面的冲突，企业注重的盈利导向与高职教育注重的学生生涯发展一定程度上存在价值冲突，这就要求高职教育要将学生能力成长和生命成长放在首位，以人的生涯发展和服务经济社会发展需求的协调统一为文化价值立场，以此满足企业发展和社会服务的需要。①

（二）优化资源配置，提高高职资源适应性

信息化资源建设是增强高质量发展适应性、推进高职教育现代化发展的重要组成部分。“双高”院校在长期发展中已基本实现了教育教学资源的优化与协调，普遍重视包括专业建设、课程建设、师资建设、产教融合等在内的相关资源，但信

① 李辉，段艳超，翟林香．双元培育模式下高职院校内部质量保证体系研究 [M]. 北京：化学工业出版社，2022.

息化资源建设仍较为薄弱。在信息技术广泛应用的今天，信息化资源建设理应成为高职教育现代化建设的应有之义。在建设方面，学校应兼顾硬资源与软资源，除进行大规模网络建设、多媒体教室建设外，还要注重培养信息化软件的开发、教师的信息化素养和信息技术应用能力以及信息化管理者的组织、协调与治理能力；在使用方面，学校应开展区域资源共享，提高信息化资源的利用率，并促进区域间院校和企业等的协调发展；在评价方面，学校应建立多元主体参与的评价体系，将各主体的需求及其满足度作为重要的衡量依据，尤其是教师和学生的满意度调查，保障信息化资源能够普惠高职院校的教育教学甚至每一名学生，实现“信息化资源—信息化环境—信息化资源应用—信息化分析决策—信息化监控治理”全过程信息化建设，全方位提升现代化办学水平。此外，制度资源建设对高职教育发展发挥着指导与规范作用，2022 年 4 月《中华人民共和国职业教育法》颁布，为高职教育的法制化、制度化建设提供了关键性保障，高职院校要在贯彻这一法律的基础上，自主建立符合职业教育特点的招生考试制度、教育质量评价制度、高职教师职称评聘制度以及多渠道筹措教育经费制度等，为进一步重组和优化高职教育资源提供方向和指引。

三、创新外向型国际化发展路径，形塑中国特色高职品牌

（一）完善高职教育国际化发展相关政策法规，促进多元要素流动

国际化法律、法规、政策的建设和完善是促进国际化要素流动的前提和基础保障。从“双高”院校发展看，当前高职教育国际化正由内向型国际化转向外向型国际化，流动要素以人员和办学机构为主，项目和标准的流动不强。目前我国高职教育国际化的政策法规体系建设较为滞后，亟须国家和院校等主体实施一系列有效举措。国家或部门要制定高职教育国际化相关法律条例、颁布具有高职教育特色的国际化政策法规，为多元要素流动提供法律保障。制定过程中要考虑国际化人才的培养与管理，“双师型”教师的海外研修与管理，国际合作企业的准入与管理，国际职业教育标准输入、输出的审核、认证等程序，为国际化的多元要素流动提供法律基础；院校层面出台相应的高职教育国际化发展中长期规划，如教师海外研修、国际化项目等发展规划，为国际化的多元要素流动提供实践基础。另外，要兼顾高职教育国内市场的健康发展，实现高职教育国内发展与国际化发展相协调。立足新时代人民多元化的教育需求，要满足不同个体对职业教育

与培训需求，既关注青年学生的学历教育、就业教育，也关注再就业群体的再教育问题，通过健全相关政策法规为其提供坚实的法律保障。

（二）建立高职教育国际化发展科研创新平台，形塑中国特色高职教育品牌

开展高职教育国际化科研创新工作是打造中国特色高职教育品牌的重要举措，能够有效破解我国在职业教育国际化发展中的重点、难点，为世界职教难题贡献中国经验和中国智慧。国际化科研创新主要包括以下两个方面的内容：一方面，针对我国高职教育国际化发展中的重难点开展研究，提高教学与科研的国际化维度，高职人才培养及高职教育将获取更优质的资源，增强我国高职人才在国际舞台的核心竞争力；另一方面，针对国际化的职业教育发展难题开展科研创新，各行业专家要发挥各自的经验与能力，通过对中国职业教育发展经验的总结，为世界贡献中国方案，有效进行高职教育的输出。

当前我国高职教育品牌效应不强，直接导致我国高职对外输出能力薄弱。“鲁班工坊”作为我国职业教育的品牌，实质是一种培训形式。在这个培训过程中，涉及课程、教学、教材等一系列教学资源，整体围绕人才培养方案展开。通过高职国际化发展科研平台对以“鲁班工坊”为纲的内容进行研究与创新，对外辐射出更多更丰富的高职教育标准，而不限于现有的国（境）外认可的专业教学标准和课程标准。将职业教育的资格证书标准、课程标准与“一带一路”合作的国家（地区）的企业技术标准体系对接，积极进行高职教育标准多样化输出，同时集聚各领域专家对开发的标准进行考核、评估，确保开发的标准彰显中国高职特色；针对国内外设立的高职院校实践教学开展科学研究，将研究成果服务于高职教育自身发展和企业技术改造与产品升级，从而凸显高职院校办学特色，深化校企合作，为高职院校伴随企业走出去打好基础，增强高职教育的输出能力与中国特色高职品牌的形塑能力。

四、优化组织管理结构，创新组织治理方式

（一）扁平化管理，提高内部管理运行效率

精简高效的内部管理运行组织结构是院校改革创新的关键。当前“双高”院校过于依赖外部政策保障，院校治理内生动力不足，根本上阻碍高职高质量发

展。加之长期以来高职院校的组织机构多为科层级结构，无法适应跨部门的柔性合作、难以适应多元共治的需求等一系列问题，这些问题促使高职院校推进治理结构扁平化管理，将人本管理理念和公共治理理念贯穿治理全过程，建立多元协同机制，提升综合治理水平。首先，要转变过去垂直化管理的观念，以精简高效为原则，搭建扁平化组织，减少中间管理层级，尽最大可能将决策权延伸到底层。其次，要科学划分内部权力结构，调整与重构二级管理权限，下移管理重心，扩大院（系）自主权，使其具有调整与设置专业和课程、对科研项目进行管理、分配资源、教师招聘等权力，能够独立承担专业建设、教学改革以及服务区域经济发展等职能。最后，为落实好监督管理，二级学院要自觉接受校级职能部门的监督。学校层面应制定二级学院建设的相关目标，建立完善的目标管理体系，从办学定位、人才培养、专业建设、课程开发、师资队伍建设、实验实训建设、教学科研、校企合作、社会服务等方面进行严格考核，并且配套相应的考核评价体系，建立相应奖惩激励机制，保障校院二级管理目标的实现。

（二）信息化治理，提升现代化治理水平

信息化治理是实现扁平化管理的必然途径，能够提高院校决策能力和现代化治理水平。其通过整理高职院校的相关数据，包括学生、教师、科研、硬件设施、软件设施的数据，将客观数据转化成有效信息，再将规律化、结构化的信息转化为治理决策，提升院校治理的科学性与实效性。首先，完善信息化治理的基本条件，为数据生成和应用提供支撑。信息化教学环境以及智慧校园等的建成，为数据的生成与储存提供基本前提；院校的信息化基础设施建设，如校园网络建设、数据中心系统、云计算等，为治理数据的储存、分析和评价提供技术支持。其次，加大信息化治理的经费投入并完善信息化治理运行机制。一方面以充足的经费保障治理的基本条件的达成，实现信息化治理和决策服务，提高教育教学质量；另一方面，建立集数据采集、数据储存、数据分析、数据评价为一体的运行机制，确保根据治理目标开展治理工作，保障数据采集、分析、评价等整个治理过程的真实性、连续性、统一性与有效性。

（三）积极开展科研创新，促进产业创新发展

1. 坚持问题导向，开展创新创业教育

当前“双高”院校普遍重视开展创新创业教育，以技能竞赛和自主创业为主

要形式，服务企业技术创新、产品升级的能力不足。高职教育要坚持问题导向，以解决关键问题为重点进行科研活动，助推产业升级和产业结构调整。针对市场需求，开展创新创业教育并培养创新型人才，促进人力资源的合理开发，满足产业优化升级的需求。通过建立产业学院与企业深度开展校企合作，增强人才培养的前瞻性和针对性，通过加强科研平台和创新型团队建设，邀请企业人员给予关键技术和行业企业最新发展动态的指导，以此找准高职院校创新创业教育的发力点，促进技术知识的生产和技术创新能力的提升。鼓励教师定期参与相关技术研讨会，及时掌握市场需求与技术变革动态，积极参与行业、企业的技术研发、技术改造等相关技术服务，奠定局部领先的技术基础，以更新技术知识和提升技术创新能力，这是高职学生提升就业竞争力的基本路径，也是院校开展创新创业教育的出发点和落脚点。

2. 坚持贡献导向，引领产业创新发展

高职教育应先行于产业发展，追踪产业的动态发展需求，引领产业发展。“双高”院校虽在适应和促进产业发展方面提供了一定的人力支撑和技术支持，但在引领产业发展方面能力不足。长期以来，我们想当然地将人才教育或者说创新教育置于产业创新、行业创新、企业创新之后，形成“产业创新—行业创新—企业创新—创新教育”的链条，往往认同产业需求转变教育模式、技术结构决定教育行动，因此导致高职院校专业脱节。相反，这一链条同样可以是“创新教育—企业创新—行业创新—产业创新”，让高职院校的技术教育链接上各个创新主体，提升服务企业、行业、产业的技术创新能力。基于此，将高职教育前置于产业发展，为产业发展提供人力资源和技术资本助力。通过开展深度的产教融合和校企合作，联合建立技术技能创新合作平台积极开展科研活动，以多元主体的参与实现职业教育先于产业、行业的发展而发展，协同突破产业关键技术、先进工艺、关键产品等，打通创新链与产业链“最后一公里”，实现高职院校、企业、行业以及产业的多领域创新与合作共赢。

第七章　不同视域下的高职教育高质量发展研究

第一节　人工智能时代高职教育高质量发展研究

十八大以来，我国大力发展智能制造及人工智能新兴产业，推进智能制造产品研发和产业化，推进重点领域智能产品创新，提升终端产品智能化水平，将人工智能上升至国家战略的高度。人工智能成为新一轮产业变革的核心驱动力量，成为新一轮科技革命的制高点。每一次科技革命势必引发新一轮教育革命，为高职教育教学创新提供契机。当今世界正经历百年未有之大变局，我国经济社会发展正处于重要战略机遇期和高质量发展的关键期，高质量发展成为经济社会发展的主题，高职教育必须适应人工智能时代的新变化、新要求，转变发展理念，坚持质量第一、技术赋能、效益优先，推动质量变革、效益变革、动力变革，深化高职教育供给侧改革，办人民群众满意的高质量高职教育。

一、高职教育质量发展范式演变历程

在发展历程中，高职教育积极回应时代需求，探寻独具特色的服务域与发展域，在不同发展阶段表现出不同的价值取向。高职教育历经注重规模扩张、重视内涵建设、强化特色发展、坚持高质量发展 4 个阶段，相应形成了社会需求导向、教学评估导向、重大项目导向、多元治理导向的高职教育质量发展范式。

高职教育质量发展范式在不同发展阶段表现出不同的特征。在类型诞生阶段，规模扩张是前提，奉行规模质量发展观，注重发挥规模效应，注重办学设置标准和办学条件的考核；在内涵发展阶段，高职院校将发展重心由外部规模拓展转向内部质量提升，以两轮教学工作评估为导向，提升人才培养质量；在特色发展阶段，汇聚高职教育改革发展的政策合力，以国家级、省级政府重大质量项目为引领，点面结合，推进高职教育突破“压缩饼干式”教学，改革创新和特色发展；

在高质量发展阶段，以国家重大项目为引擎，外部评价为导向，内部质量提升为驱动，内外联动、多方协同，为高职教育高质量发展增值赋能，提高治理效能。2021 年 10 月 12 日，中共中央办公厅、国务院办公厅印发了《关于推动现代职业教育高质量发展的意见》，以类型定位为逻辑起点，推进职业教育高质量发展，开启了高职教育高质量发展的新征程。①

二、人工智能时代高职教育质量提升的新命题

人工智能是引领未来的新一代信息技术，成为经济发展的新引擎、社会发展的加速器，正在掀起一场教育革命，倒逼高职教育人才培养模式和教育教学方式的根本变革，倒逼高职教育转型升级。

（一）人工智能时代对高职教育办学层次提出新要求

人工智能时代就业结构巨变，就业市场需求技能发生变化，社会需要大量人工智能专业人才，对高层次技术技能人才的知识水平和技术能力要求更高。我国经济面临新旧动能全面转换，迫切需要更多的高素质、创新型技术技能人才支撑，这为职业教育向更高质量、更高层次发展提供了新机遇。我国人力资源市场对高级技术技能人才的需求与供给已出现“倒挂”的尴尬现象，高级技术技能人才需求与供给比为 1.9 ：1，高层次技术技能人才短缺已成为制约经济社会发展的主要瓶颈。高职院校专科人才培养层次难以适应人工智能产业发展对高层次技术技能人才的需求。

（二）人工智能时代对高职教育专业布局结构提出新期盼

人工智能推动了工业变革和产业升级，对高职教育服务产业的能力提出了更高要求。但由于新兴专业布局缺乏市场导向机制，再加上高职院校专业设置短平快的趋利倾向，人工智能、数字化等相关专业布局前瞻性较弱，对智能产业发展统筹力度不够，专业设置趋同化现象严重。例如：目前江苏高职院校中 90% 设有计算机应用技术专业，83% 设有会计专业，65% 设有物流管理专业，61% 设有电子商务专业；财经、制造、电子信息、土建等 4 个专业大类在校生总占比高达 63.08%；新能源、新材料、先进装备制造等对接战略性新兴产业及人工智能的院

① 赵惠莉. 人工智能时代高职教育高质量发展研究 [J]. 江苏经贸职业技术学院学报，2022（6）：71–74.

校及专业偏少。高职院校专业布局结构已难以适应人工智能发展对高素质技术技能人才结构需求。

（三）人工智能时代对高职教育人才培养模式提出新挑战

人工智能技术对重复性劳动者的替代效应越来越强。“一人多岗、一岗多能”的岗位要求使得传统岗位的结构性失业风险凸显，促使高职院校组织架构、专业结构、人才培养模式和教学方式必须进行革命性变革。工业化社会大规模生产时代形成的统一、标准化的高职院校人才培养模式和工作流程固化的课程设置体系已难以适应人工智能发展对高素质技术技能人才的需求，个人仅拥有一技之长已难以胜任复杂的工作任务，还需要具备技术应用、技术创新和技术研发的能力。因此，人工智能产业发展对高职院校人才培养提出了更高要求。

（四）人工智能时代对教师智能教育素养提出新任务

知识生产新模式，是对第四次工业革命的回应，能够描述当代社会正在发生的、跨越学科和机构边界的知识生产模式变革，注重跨学科、组织的多样化、社会问责和自我反思、多维度的质量控制等。以“问题为导向、跨界行动、协同创新”为特征的知识生产模式和科技革命对高职院校教师角色转型提出了严峻挑战。高职院校教师在智能技术应用、课程开发及教育教学方面存在一定的“数智壁垒”，数字素养、智能素养、数据素养、技术素养等难以满足智能时代人才培养的需求。在教学方式上，教师仍停留在运用现代教育技术手段层面，离个性化、定制化教学还有较大距离。在课程开发上，由于现代科技革命加速知识迭代更新，教师难以跟上技术变革步伐，课程开发能力有限。在师生关系上，学生已由传统被动接受知识的角色转变为知识创生主体，而教师传统知识和技能传授的角色仍未转变，难以适应新型师生关系。

三、人工智能时代高职教育高质量发展的策略

新一轮科技革命和产业变革孕育了智慧社会、数字经济、无界零售等新兴产业，且产业链边界渐渐模糊，全要素数字化转型不断催生新业态、新模式、新动能。人工智能改变了人类的认知方式、思维方式、生产方式和生活方式，提升了人类改造世界的能力，同时产业技术改造和优化升级对创新型、复合型、技术技能型人才的依赖程度也越来越高，倒逼职业教育人才培养模式和教育教学方式的根本

变革。高职教育要主动应变，拓展办学层次，调整专业设置和人才培养方向，打破专业界限，跨越校企边界，实现教育教学方式的智能化、人才培养层次的高效化、人才培养目标的个性化、人才培养模式的互动化、人才培养过程的协同化。

（一）拓展高职教育办学层次

人工智能时代，要求高职教育发展立足新兴产业，对接新经济、新技术、新职业、新岗位，培养生产加工中高端产品或提供中高端服务的高层次技术技能人才，解决技术技能人才层次不高的问题。高职教育高质量发展急需扩大职业本科学校试点范围，将专业硕士和专业博士纳入现代职业教育体系，不断完善纵向贯通、横向融通的现代职业教育体系，搭建职业教育内部及职业教育与普通教育之间贯通衔接的“立交桥”，实现横向等值、纵向贯通、多向转换的完整体系。职业本科教育发展要立足教育体系进行统筹规划和系统设计，积极探索多元发展路径。一是高起点遴选优质专科高等职业学校升格。统筹考虑人口规模、经济总量、教育资源存量等因素，坚持高起点、高标准、高门槛遴选最有条件、最有基础、最有优势、最有影响的优质专科高等职业学校，对照本科层次职业学校设置标准，进一步扩容、提质、增效。二是专科高等职业学校合并升格。区域内办学条件好的几所专科高等职业学校通过整合办学资源、优势互补，整体升格，发挥资源的集聚效应和规模效应。三是持续推进独立学院与专科高等职业学校合并转设工作。这些举措有利于整合普通高等教育和职业教育资源，发挥存量教育资源的最大效用，提高办学效益。

（二）优化高职教育专业布局

人工智能时代，农业、制造业、现代服务业等各行各业都在进行着智能化升级和数字化改造，新产业将取代旧产业以满足人类的个性化需求。在此基础上，国家提出了《中国制造 2025》，其核心就是通过智能化和数字化改造，实现制造业现代化。高职教育专业布局要顺应新工业革命、新型城镇化和新国家战略的大势，瞄准新兴产业体系，适应新时代的产业组织方式，为地区经济发展升级助力，立足新一代信息技术和智能科技、新型材料、生物、高端装备制造、数字创意等产业体系进行优化升级。《职业教育专业目录（2021 年）》对高职教育专业进行动态更新，设置了高职专科专业 744 个，新增专业 74 个，涉及农业、装备制造业、现代服务业等，新增无人机测绘技术、智能环保装备技术、智慧旅游、健康大数据管理、农村电商等，旨在推动专业升级和数字化改造；建立专业结构动态优化调整机制，加大对新兴产业市场调研与预判力度，超前部署战略性新兴产业急需的专业；主动对接产业与市场，依据劳动力市场需求，动态评估与优化专业设置，促进产业链、人才链与教育链的有效对接；实施专业集群发展战略，优化资源配置，形成资源集聚效应，打造新的专业格局，升级专业建设内涵，提升服务产业发展的能力；以国家职业教育专业教学资源库、精品课程、在线开放课程等一系列数字化教学资源建设为契机，高职院校跨院校共建共享数字化教学资源库，打通数字资源库之间的壁垒。

（三）变革高职教育人才培养模式

以人工智能、大数据、互联网等技术为标志的第四次工业革命，与人类以往任何一次转型都不同，它将消除物理世界、数字世界和生物世界之间的界限，使人工智能方法和技术向多学科渗透与融合，这是社会全方位的融合，也是供给与需求的直接融合。智能化、自动化和数字化升级改造不断深入，行业企业对高职院校毕业生思维创造力和思维灵活性的要求也随之越来越高。智能机器进入工作场所，知识和劳动力市场价值之间的相关性正在发生变化，技术已经改变了工作场所和技能本质。例如：银行业很少需要出纳员和会计，而是更多需要数据分析师和数据运行工程师；市场营销人员逐步转为数据分析师，通过大数据来分析和解读客户的购买行为；制造业操作工人和技术工人也开始让位给工程师、数据科学家和软件程序员。长期以来，高职教育偏重于培养就业技能，而忽视培养人文素养，由此导致学生职业生涯发展出现后劲不足和创新能力、职业迁移能力不足等问题。高职教育的价值取向亟待由短期功利“工具人”向全面自由发展“新职业人”转变，将综合素质培养作为价值追求。人工智能时代，高职教育人才培养，需要系统设计人才培养方案，探索以问题为导向的交叉人才培养模式，深化产教融合，制定个性化培养方案，注重学生创新能力和实践操作能力培养；基于生产全过程进行课程体系设计，构建专业核心知识和技能课程，打造人工智能应用模块课程；注重学生能力培养和素质养成，帮助学生提高判断能力、解决具体问题的能力和认知能力，培养批判性思维、系统性思维、人文思维和技术思维。

（四）提升高职院校教师科技素养

人工智能时代，要求人们具有科技素养、数据素养、人文素养，充分利用数字资源。科技素养包括数学、编码和基本工程原理知识，就如工业化时代需要了解发动机基本原理一样，在人工智能时代，人们需要了解机器人以及现代技术设备背后的基本原理，充分利用软件和硬件，最大限度地发挥人类的创造性。技术变革驱动教育教学方式转型，要求教师转变角色，以生为本，引导学生独立自主思考，培养好奇心、启迪智慧、增强责任意识，培养批判思维、高阶思维、创新思维，树立正确的人生观和价值观，注重全面自由发展价值取向，提升智能教育素养。教师要利用现代技术赋能课堂教学，因材施教，为学生提供定制化和个性化的教育资源，实现教育资源的精准匹配，促进教育教学从技能传授到实践探索的转型。国家应实施教师科技教育素养培训工程，促进教师提升智能教育素养，提高数据分析与应用能力，提升现代技术教育教学管理水平，更好地服务于技术技能人才培养，为学生个性化、精准化学习提供保障。学校要探索校企合作开发智能教育专业核心课程，将企业的技术优势与教师的专业知识相结合，跨界合作开发嵌入式、项目化专业课程，促进教育资源配置的精准化和科学化。教师要不断学习和不断超越自己，拓展思维、学习技术、提升智能水平，创新教育观、知识观、教学观，提升教学艺术和管理艺术，提高教学效率。

“十四五”时期，高职教育面临着前所未有的大发展、大变革、大跨越的历史机遇，高质量发展成为高职教育发展的主题。人工智能时代，高职教育应以服务国家战略需要为基本使命，积极开展智慧教育创新，推动教育模式变革和生态重构，弥合产教融合断裂带，以技术技能人才成才成长为基本遵循，重点聚焦“三教”改革和课堂教学，构建高职教育发展良好生态系统，以整体性、系统性和协同性思维推进人工智能与高职教育的系统融合，全面创新教育、教学和学习方式。

第二节　新质生产力视域下高职教育高质量发展研究

2023 年 9 月，习近平总书记在黑龙江考察时首次提出“新质生产力”这一概念。2024 年 1 月，习近平总书记在中央政治局第十一次集体学习时强调，发展新质生产力是推动高质量发展的内在要求和重要着力点，必须继续做好创新这篇大文章，推动新质生产力加快发展。在参加十四届全国人大二次会议江苏代表团审议时，习近平总书记强调，要牢牢把握高质量发展的首要任务，因地制宜发展新质生产力。新质生产力的形成和发展与战略性新兴产业和未来产业发展紧密相关，其重点是科技创新和教育发展。高职教育与新质生产力的载体——产业存在着天然的亲近关系，在促进新质生产力发展的过程中发挥着不可替代的作用，因此高职教育的高质量发展必须满足新质生产力的发展要求，并推动新质生产力加速发展。

本节从新质生产力的视角，深入剖析高职教育高质量发展所面临的困境，并在加快形成和发展新质生产力的背景下为我国高职教育的高质量发展提供理论指导和发展路径建议。

一、新质生产力的内涵

关于什么是新质生产力，已有的研究从不同的学科视角进行了不同的解析。从哲学的视角来看，它是对马克思主义经典生产力理论的继承和发展，不仅指向生产者单一的劳动能力，而且更加关注生产者的创新创造力，特别是科技创新能力，凸显了生产力的科技内涵。从经济学视角来看，新质生产力是以创新为主导的生产力，代表着生产力的发展水平实现了“质”的跃迁，形成了一种以数字驱动的生产力发展方式，推动了经济社会的可持续发展。从社会学视角来看，新质生产力是指社会发展到新阶段时人类改造自然的能力表现出巨大发展潜能，当科技创新发生了“质”的变化时，生产力发展水平随之呈现出新的质态。从教育学的视角来看，新质生产力的形成和发展与高等教育的改革密切相关，新质生产力将引发高职教育教学发生系统性变革，高职教育要充分发挥高等教育的龙头作用，实现高层次创新型人才培养提升新质生产力，紧贴产业升级，深化产教融合，推动科技创新锻造新质生产力。[①]

二、新质生产力对高职教育高质量发展提出了新要求

（一）新质生产力的发展将推动高职教育发生系统性变革

马克思主义认为，一个民族的生产力发展水平最明显的特征表现为该民族分工的发展程度，任何一种新的生产力的出现都会引起社会分工的进一步发展。迄今为止，人类社会所经历的每一次工业革命都源于生产力发展水平的跃升。第一

① 王源平，吴庆华．新质生产力引领地方院校高质量发展的核心要义与实践路径[J].贺州学院学报，2024（4）：1–7.

次工业革命推动大规模的机械化生产代替传统的手工制作，引发了劳动力市场的变革，迫使教育做出改变，传统的学徒制职业教育逐渐被以满足社会发展需求的“实用主义”教育所替代。第二次工业革命中内燃机和电力的出现，使得交通、信息传播领域发生了颠覆式的变化，这一革命传导到教育领域，推动了学校和大学的制度化建设，孕育了高职教育的发展。第三次工业革命催生了软件制造、航空航天等新兴产业，迫使传统产业转型与升级，知识生产从零散的自由探索转向主动面向广阔的、跨学科的社会情境，推动高等教育与产业深度融合，促进了高职教育的爆发式发展。

进入21世纪第三个十年，以数字技术、生物技术、物联网技术为标志的第四次工业革命已悄然而至，以科技创新和数字技术为主导的新质生产力将对高职教育进行系统性重构。第一，新质生产力将更迭高职教育理念，重新定位人才培养目标，以技术技能培养和就业为导向的传统高职教育理念将逐步向个性化、差异化和多元化的创新型教育理念转变，对高职教育的人才需求将向具备多种知识和技能的复合型、创新型、智能型和生态型方向转变。第二，新质生产力将重组高职教育的教学内容，驱使高职教育方式发生变革，以数字意识、数据素养、计算思维、协作创新等教育内容为主体的新型高职教育将逐步替代以技术技能培养为主体的传统高职教育，传统以教师为中心的育人模式将会转变为如人机交互式学习、自适应学习等多元化的育人方式。第三，新质生产力将重构高职教育体系，促进高职教育治理体系的变革，以学校为核心的教育体系将逐步转变为家校社协同育人体系，治理体系将由粗放式管理向精细化的数据治理转变。

（二）新质生产力的发展需要高职教育高质量发展

发展新质生产力的关键在于科技创新，科技创新的关键在于劳动者的创造力和行动力。作为高等教育的一种类型，高职教育与经济社会发展的联系最为紧密，主要任务是培养符合产业发展需求的高素质复合型技术技能人才，在新质生产力的发展过程中扮演着重要的角色。

第一，高职教育通过高质量的人才供给促进新质生产力的发展。新质生产力对人才的岗位适应性提出了更高的要求，高职院校应进一步优化人才的培养定位和标准，促进生产技术的革新和进步，实现人才培养和科学研究迭代升级。

第二，高职教育是推动科技创新的重要渠道。高职教育通过人才培养促进科学技术的进步，助力新质生产力的发展，为尖端科技研发和实体经济的发展提供重要的人才支撑，是加快形成新质生产力的重要保障。

第三，高职教育通过知识再生产驱动新质生产力发展。在产业转型升级和社会结构调整的背景下，数字技术发展加快了知识和技能的更新换代。在人工智能时代，面对海量信息和大量碎片化的知识结构，高职院校需注重对人才知识生产能力的培养，强化创新思维训练，不断拓宽人才新的认知领域，进而加快新质生产力的形成。

三、高职教育高质量发展面临的现实困境

（一）高职教育的育人理念有待更新

当前，科技创新已进入空前的密集活跃期，产业转型升级成为经济社会发展的新常态。然而，高职教育仍延续着“效率优先”“标准控制”的指导思想，以标准化、固定化的知识体系作为根本遵循，这一传统育人理念注重知识技能培养，创新性不强，显然不能满足新质生产力对“非标准化”创新型、复合型、应用型的人才的需求。新一轮的产业革命将深刻影响人类的生产方式、生活方式和学习方式，高职教育是最直接推动经济发展的类型教育，在经济高质量发展中承担着重要的生产力转化和高素质人才供给的作用，其育人理念需要从注重知识技能本位向知识创新本位转变，从注重解决个人生计到服务于国家振兴转变。

（二）高职教育的教学体系有待完善

由于高职教育与产业发展存在密切的联系，产业结构的变化对高职教育的教学体系有着深刻的影响。人工智能、大数据、虚拟现实等数字技术的广泛应用，必将加速传统产业的转型升级，发展壮大战略性新兴产业，布局引领性产业，这就需要高职教育的教学体系要紧跟产业发展的步伐，培养适应未来产业发展需求的创新型技术技能人才。

当前，高职教育的人才培养体系大多基于工业化时代“以就业为导向”，不利于学生的个性化发展和多样化成才，与产业发展的实际需求仍存在差距。例如，专业人才培养目标与产业发展需求契合度不高，教学内容未能有效对接产业前沿技术的发展，未能及时将战略性新兴产业和未来技术相关的人工智能、物联网技术、大数据等知识有效融入课程教学内容。另外，高职教育的教学体系大多不注

重基础科学研究能力的培养，导致培养出的人才欠缺创新能力，不足以推动新质生产力的发展。

（三）产教融合人才培养的效率有待提升

高职教育推动产教融合的本质目的在于培养高素质创新型技术技能人才，企业侧参与产教融合的驱动力在于获得所需的人才资源和先进的前沿技术。我国将行业产教融合共同体和市域产教联合体作为推进现代职业教育体系的主要载体，将区域性开放共享的实训基地作为推进现代职业教育体系的主要形式，但现实的问题是行业、企业参与高职教育的有效运行机制尚未构建，相关利益主体并未形成各层级、各部门间的有效对接，企业在产教融合过程中的作用难以充分发挥，产教融合难以实现可持续发展。同时，由于高职教育和企业追求的目标不同，在人才培养的认识上，高职院校与企业存在较深的认识差异。企业希望通过产教融合来提高盈利水平，获得优秀的人才资源，满足企业生存和发展的需求；高职院校则期望培养高素质的技术技能人才，但由于院校的专业设置与产业转型升级、新兴产业等联系不够紧密，导致人才的知识技能与企业需求不匹配，人才的培养效果欠佳。

四、高职教育高质量发展的路径

发展新质生产力是一项长期的系统工程，需要社会各方面的紧密合作。高职教育作为加快形成新质生产力的关键一环，需按照新质生产力的发展要求，紧密对接新技术、新产业、新业态的人才需求，在育人理念、教学体系、产教融合等方面进行根本性变革，以培养具有独立思考和强大学习能力的高素质创新型技术技能人才为目标，提升高职教育与经济社会发展需要的匹配度，实现高职教育的高质量发展。

（一）转变育人理念，从“技术技能”到“核心素养”

新质生产力要求技术技能人才不仅要掌握本专业所需的技术技能，还要具备技术技能管理能力和创新力，这就要求高职教育加快更新人才培养理念。

一方面，高职教育应牢固树立新时代是培养创新型、复合型、个性化、可持续发展的“新质劳动者”的“新质教育系统”的理念，课程教学内容以培养全面发展的高素质人才为目标，将陈述性知识积累和技能培养为导向的教育理念转变为注重分析性思维、创新性思维、团队合作、终身学习等核心素质的培养，使得学生具备高阶思维能力并形成个性化的快速自适应能力，成为满足新质生产力发展的“新质劳动者”。另一方面，新质生产力时代，高职教育应树立不分时间、不分地点的泛在学习理念，不局限于大学教室、实验实训场所等固定地点，高职院校应成为校园无限开放、功能更加齐全、教育对象多元、服务便捷高效的技术技能学习交流中心。学生借助数字化的教学平台，获取海量的学习资源和虚实一体的实验实训场景。平台还能实时动态分析不同学生的学习轨迹，形成个性化的“数字画像”，并据此推送最适合的学习资源包。在人工智能技术的帮助下，传统的知识和技能被碎片化为学习颗粒，学生根据所掌握的知识数据生成知识能力图谱，形成个性化的“学习地图”，构建起全天候的技术技能终身学习体系，服务于全民终身学习的学习型社会。

（二）重构教学体系，从“刚性执行”到“柔性实现”

在新质生产力时代，为适应快速发展的数字技术和产业发展的需求，高职院校需要将“刚性执行”的教学计划转变为“柔性实现”的教学体系。

一方面，高职教育应以专业群为单位，将某一类职业岗位分解为所需的X项职业技能，根据生源特点，以人工智能为手段，融入思政元素，纳入产业需求，开发X个知识技能模块（微课）。高职教育还应以培养学生的高阶思维能力为重点，选取专业群中的n个教学模块，组合成复合型职业能力模块化课程体系，以开放性区域产教融合实践中心为依托，以企业生产实践项目为载体，以示范性虚拟仿真实训基地为抓手，强化虚拟仿真、数字孪生等新一代信息技术的应用，开发职业岗位群所需的模块化技术技能集，培养学生掌握多种技术技能，形成个性化的技术技能集，推动实验实训教学体系创新。另一方面，由于产业发展和人才需求变化速度加快，新质人才的个性化需求越来越多，高职院校要建设校本人才大数据中心，涵盖教学、管理、服务等智能化平台，动态更新教育教学、实验实训、学生培养、教师发展、管理服务等功能，利用大数据分析，对教学与产业的供需数据进行实时比对，动态调整技术技能培养的重点领域，开展教情和学情的数据分析，优化知识模块的供给，将“刚性化”的教学实现转变为“柔性化”的动态调整，充分发挥数字技术的优势，实现教学体系的柔性化，满足学习者的多样需求。

（三）深化产教融合，从“单向驱动”到“双向赋能”

为满足新质生产力的发展需求，高职院校需要持续深化产教融合，充分发挥院校和企业的双主体作用。

一方面，新质生产力的载体是行业企业，企业应在产教融合过程中发挥主导作用，通过运用数字化、智能化等科技创新手段实现产业转型升级和高质量发展。市域产教联合体和行业产教融合共同体作为国家做实省域现代职教体系的“两翼”，需要完善对参与企业的财政、税收、土地等政策支持体系建设，充分调动行业企业参与的积极性和主动性，将社会资源、产业资源、教育资源等有机融合，提升高职院校办学能力，保障人才供给能够满足新质生产力发展的需求。另一方面，高职院校要精准对接经济社会发展需求，以战略性新兴产业需求为导向，发挥行业企业的主体作用，动态调整专业设置，形成与产业密切相关的特色化、集群化的专业群体系，同时将人工智能、大数据等新技术融入课程设置、实验实训等人才培养各环节，培养学习者的数字化素养和思维，建立与新兴产业相适应的学习和技能培训体系，实现教育供给侧与产业需求侧的紧密对接。

第三节　生态位视域下高职教育高质量发展研究

《中华人民共和国国民经济和社会发展第十四个五年规划和 2035 年远景目标纲要》将“建设高质量教育体系”明确为“十四五”期间国家改革发展的重要目标。随着中国特色教育理念不断深化，“高质量教育”已成为一个具有中国特色的本土话语。2020 年 9 月，教育部等九部门发布了《职业教育提质培优行动计划（2020—2023 年）》，标志着推进职业教育高质量发展成为当前我国职业教育改革的重点任务。2021 年 10 月，中共中央办公厅、国务院办公厅印发了《关于推动现代职业教育高质量发展的意见》，更加具体地描绘了现代职业教育高质量发展的蓝图。高职教育承担着培养面向服务、管理、生产与建设等一线需求的高质量技术技能人才的重要使命，在高质量发展的要求下，推动高质量发展成为“十四五”时期职业教育改革的核心任务，优化高职教育成为当务之急。

高职教育在中国教育生态系统中扮演着重要角色。现有研究多聚焦于职业教育的高质量发展，然而随着大数据、人工智能、虚拟现实等技术的迅猛发展及人才需求结构的不断革新，高职教育的内外生态系统正在发生变革，亟须在教育生态系统中找准自身生态位。因此，本节通过分析高职教育的生态位系统，有针对性地分析其弱生态位，并在此基础上提出高职教育高质量发展的优生态位路径，以拓展其生态位，助力职业教育高质量发展。

一、高职教育高质量发展的生态位解析

（一）生态位理论的内涵

生态位，又称“生态龛”，是生态系统中的核心概念，最初由美国生态学家格林内尔（Joseph Grinnell）提出。它是指不同物种在同一区域内占据着不同的环境资源位置，并强调生态位不仅是生物体在时间和空间上的位置，还包括生物体之间的相互作用和排斥关系。生态位理论具有内在的层次性和多样性，可以通过多维度分析事物的发展结构以及多视角探究事物的发展方向。因此，生态位理论为探寻高职教育如何实现高质量发展提供了适当的分析视角，将高职教育置于教育生态系统中找寻其合适的立足点，助力高职教育在多样化发展中找到最优的生存状态。

（二）高职教育高质量发展生态位“态势”之义

高职教育生态位的“态”与“势”是其发展中的两个基本属性，共同决定了高职教育在教育生态系统中的位置和作用。高职教育的“态”，即其当前的发展状态，是高职教育在特定时间段内的适应能力、社会支持资源量、社会认同感等方面的具体表现。这些因素直接影响高职教育能否在教育系统环境中占据有利地位，以及对整体教育系统的贡献程度。例如，高职教育机构如何通过课程改革、教学方法创新等措施，提升教育质量和效果，从而增强学生的就业竞争力和社会适应能力，是“态”的重要体现。“势”则关注高职教育未来的发展潜力和影响力，包括在教育领域内部及与社会、经济等其他领域相互作用的能力。高职教育的“势”体现在高职院校能够通过持续的自我完善和创新，适应未来社会发展的需求，培养出更多符合市场需求的高技能人才。同时，“势”还涉及高职教育如何有效地利用现有资源，与其他教育形态、产业界、政府等建立良好的合作关系，形成协同效应，共同推动经济社会的发展。为了实现高职教育的高质量发展，高职教育需要深刻理解和把握其“态”与“势”的内涵，寻找最佳的发展时机和空

间，充分发挥其在教育生态系统中的作用。

（三）高职教育高质量发展生态位“宽度”之义

生态位宽度是指一个物种在其生存环境中利用资源的范围广度。高职教育生态位宽度能够为高职教育在获取、整合和利用各类资源以适应和推动其发展的能力提供新的认知维度。高职院校通过产教融合合理拓宽自身生态位，使其发展不偏离高质量发展的方向，稳步提升教育质量。产教融合是实现教育链、人才链与产业链、创新链有机衔接的重要举措，是实现教育系统和产业系统、科技创新系统跨界融合的迫切需要。对于高职院校而言，要通过产教融合统筹规划，推进教育系统、产业发展和科技创新系统对接，与外部系统进行充分交流，整合和利用教育界、产业界和科技界的人力资源、制度资源、信息资源和财政资源等不同资源。从这个意义上说，产教融合是高职教育生态位宽度的核心要义。同时，高职教育是比其他教育系统更加贴近且与产业系统融合的教育类型，因此提升评价与监管机制的灵活性是其高质量发展生态位“宽度”的重要维度。产教融合的推进、高质量技术技能人才的培养都离不开作为人力资源的教师队伍的支撑。因此，高职教育中的教师队伍资源也是其高质量发展生态位“宽度”的构成维度。

（四）高职教育高质量发展生态位“重叠”之义

在生态系统中，资源竞争是生物种群生存和繁衍的核心驱动力之一。基于资源的稀缺性和有限性，不同物种的生态位会出现重叠现象，从而引发激烈的竞争和冲突。为在竞争中取得优势并繁衍生存，物种必须不断地进化和适应，以寻找新的生存策略与资源利用方式，从而区分自己的生态位，减轻与其他物种的竞争压力。同样，在高职院校间也存在激烈的资源竞争。这种竞争体现在课程设置、专业群建设等关键资源的争夺上。高职教育的人才培养目标是培养某个领域的高级技术技能人才。因此，高职院校应根据自身的定位、办学理念以及地域特色，精心打造与之匹配的办学特色，形成专业优势。通过差异化的办学特色和专业设置，高职院校可以在发展办学特色的过程中，充分利用所在地区的资源和优势，避免资源重叠，推动高职教育的健康发展。

三、高职教育高质量发展的生态位之困

教育生态系统是一个既依赖外部资源输入又具有内部结构完整性的有机场

域，高职教育是教育生态系统的重要构成部分。高职教育具有自身独特的生态位，若在发展过程中无法认清自身所处生态节点，则会面临生态位“态势”定位模糊、“宽度”承载力弱、“重叠”现象严重等现实困境，这将制约高职教育高质量发展的实现。①

（一）高职教育生态位“态势”定位模糊

1. 时间生态因子：高职教育社会认同感低

长期以来，高职教育并未被社会全面、准确地理解，其独特作用和内在属性也未得到充分认知。一是高职教育常被视为在高等教育体系中层次较低的“兜底性”教育，这一误解导致其在社会教育选择中被边缘化。导致高职教育社会认同感低下的主要原因是学术型教育长期占据主导地位，而高职教育的特殊性和重要作用并未得到充分认可。二是高职教育在职业教育层次中处于较高位置，注重培养具备实用技能和适应市场需求的人才，因此社会对其毕业生的就业和发展期望更高。然而，由于社会对技术技能型人才存在认知偏差，高职毕业生在就业市场和社会中的地位相对较低。部分家庭更倾向于支持子女接受普通大学本科教育，而较少选择专攻技术类课程的高职教育，且该选择倾向较为普遍。三是从社会价值观的角度看，高职教育与学术型教育相比，往往被认为地位较低、发展空间有限，这也进一步削弱了高职教育的社会认同感。然而，高职教育的特殊性在于其培养的是面向市场需求的高端技术技能人才。例如，在工程技术、医疗护理、信息技术等领域，具备实际操作技能和行业适应能力的高职毕业生颇受市场欢迎，因其能够迅速投入工作并产生价值。在一些行业中，高职毕业生的就业率和薪资水平甚至高于部分学术型本科毕业生，这充分体现了高职教育的社会价值。因此，社会大众需要改变旧有观念，充分认识高职教育的重要性和价值，从而提升其社会认同感，推动高职教育体系的健康发展。

2. 空间生态因子：高职教育布局结构不均衡

从布局结构看，1980年教育部批准建立的首批13所职业大学，开启了我国高职教育发展的历史，也开启了高职教育逐步优化其教育生态位的进程。经过40多年的发展，我国的高职教育取得了巨大的成就。目前，高职教育已经实现了覆盖全

① 陈鹏，陆爽．新时代职业教育理论体系：逻辑起点、理性审视与本土建构[J]．当代职业教育，2024（6）：28-37.

国各省份和大多数地级市的空间布局目标，且资源在区域分布上也趋于合理。然而，由于多种因素的影响，如经济发展水平、人口分布、自然资源分布、历史和文化差异、城乡结构等，高职教育的空间布局并不平衡。从省域布局的角度看，目前高职院校的布局存在明显的不协调现象，大部分高职院校集中分布在中心城市和省会城市，而在外围城市的分布相对较少。从区域发展看，我国高质量高职教育资源主要集中在东部，中西部较为薄弱，区域发展失衡凸显。大量优秀师资、生源向个别地区院校集聚，加剧了“人才空心化”问题。究其原因，高职教育的专业性和应用性较强，教学设备、实训基地等资源投入要求相对较高，导致高职院校往往集中在经济较为发达的城市和地区。相比较而言，中职教育的教学资源要求相对较低，更适合作为各地区的基层教育机构。因此，高职教育对资源投入和教学条件的要求较高也是导致空间布局不平衡的重要原因之一。此外，高职院校在招生时也存在一定的倾向性，更倾向于吸引优秀学生集聚到经济发达地区的高职院校中。这种集聚效应会导致一些欠发达地区的高职院校师资力量和学术水平相对较弱，无法与东部地区的高职院校相媲美。可见，区域间布局的非均衡状况不利于中西部等地区高职教育的发展，制约了高职教育生态位的全面发展。

（二）高职教育生态位“宽度”承载力弱

1. 制度生态因子：高职教育监管机制不健全

为充分发挥我国社会主义制度优势，以政策驱动改革是我国高职教育改革和发展的典型模式，政策制度的牵引和支撑是推动我国高职教育高质量发展的关键动力。高职教育改革是面向社会高速发展和多元化办学的新趋势，但我国高职教育管理机制依然存在堵点。高职教育以技术技能人才为培养定位，强调学生的实践能力和职业技能培养。因此，高职教育评价及监管机制应具备针对性，以有效监督学校的实训设施和教学质量，确保学生所学技能与知识符合国家战略及行业需求。然而，目前的评价及监管机制却更注重标准化考核和文凭授予，忽视了实际教学过程和发展学生实际能力的过程中必要的监管环节。这一现象导致一些高职院校存在实训基地不完善、教学内容与行业需求脱节等问题，进而影响了学生的就业能力和竞争力。与此同时，高职教育的实践性和行业导向性也要求监管机制具备灵活性，能够适应不同专业和行业的需求变化。然而，传统的评价及监管机制存在僵化和滞后的情况，无法有效应对新兴行业的发展和技术更新。在这些新兴领域，教学内容和技术的变化速度较快，需要及时调整标准和要求，以确保高职教育与时俱进。即高职教育通过“严要求”倒逼“精出口”，有效推动我国高职教育的高质量发展，培养更符合市场需求的技术技能人才。

2. 环境生态因子：高职教育产教融合不畅通

高职教育产教融合作为当前搭建学校与企业之间桥梁的重要手段之一，其核心目标在于促进教学内容与市场需求有机对接。近年来，我国高度重视高职教育的产教融合政策，并将其纳入法律框架，以期促进教育界和产业界两个系统内异质性资源的优势互补，提升人才培养质量并推进经济转型升级，为经济社会发展提供新动能。高职教育侧重于培养学生的职业技能和就业能力，使其成为特定行业领域的专业人才。这些专业人才具备较为深厚的专业知识储备，且掌握所在行业的关键技术，能够在行业企业生产实践中解决复杂难题，将科研成果转化为现实生产力，推进经济转型升级。这一现实因素决定了高职教育在实践性与职业导向性上更加注重产业与教育相融合。尽管高职教育产教融合前景广阔，但仍存在一些问题制约其发展，主要包括：部分高职院校与企业之间的合作和交流渠道不畅，缺乏明确的沟通机制导致信息传递和共享困难，无法提供平台让双方交换意见；一些企业没有充分参与到高职教育中，缺乏积极的支持和参与。由于校企双方目标不一致，合作过程中可能出现需求不匹配、教育内容与市场需求脱节等问题，影响合作的顺利进行。因此，高职教育产教融合需要更多的努力和资源投入，以建立更紧密的校企关系，促进人才培养模式的创新和优化，从而更好地满足社会和经济的需求，实现双方的良性互动和共赢发展。

3. 人力生态因子：高职教育师资力量较弱

中国特色社会主义进入第四代工业革命时代，培养高质量技术技能人才成为当务之急，而这离不开高水平的教师队伍。教师作为高职教育的第一资源，在新时代高职教育高质量发展中发挥至关重要的作用。因此，打造一流的师资队伍成为高职教育发展的重要任务。高职教育比其他类型和层次的教育更加注重培养学生的职业技能和就业能力，这对教师的素质和能力提出了更高要求。然而，目前高职教育师资力量相对薄弱，是长期制约高职教育高质量发展的短板之一。一些教师由于工作繁忙或其他原因，缺乏时间和机会参与学术研究和实践活动，导致实践经验与学术研究的融合存在困难。这不仅影响了教师对最新行业发展趋势和技术变革的了解程度，而且制约了教学内容的更新和教学质量的提升。同时，科技的快速发展和产业的不断变化使得行业前沿知识和技术更迭速度加快。一些教师虽然在实践工作中具备较深的资历，但由于学习动机水平下降，难以跟上经济社会技术知识的快速更新和裂变，教师们面临“技术操作素养”与“技术素养”之间的衔接困难，进而制约了高职教育优质教学的实施。

（三）高职教育生态位“重叠”现象严重

1. 质量生态因子：高职教育课程建设创新性不足

课程建设既是构建高职教育特色生态位的关键所在，也是保障教学质量和教学效果的重要支撑。紧密结合行业需求和学生个人发展规划的课程才能培养出适应行业企业需要和胜任岗位要求的高素质技术技能人才。高职院校课程尤其应突出实践能力和创新能力的培养，使学生能够在实际工作中胜任岗位。近年来，我国在职业教育理念更新的背景下，结合国内实际情况，不断推进课程改革，开发出了一体化课程、工作过程系统化课程、项目课程等新型课程模式，取得了显著成绩。然而，高职院校课程改革仍未摆脱与普通教育类似的单一课程模式，仅在原有课程上引入相关模块或工作项目，这些模块多为去情境化的课程与教学设计，并非企业实际生产模块，导致课程内容与企业典型工作任务相分离。这种趋同化的课程不利于高职教育质量的提升，也无法为培养高质量人才提供有效支撑。此外，部分专业课程体系仍然停留在“学科体系”和“三段式”结构上，未能充分考虑职业能力的培养和发展规律，导致课程内容学术化，脱离实际职业教育的属性。这种现象进一步削弱了高职教育的质量生态，使得高职教育课程建设质量难以与时俱进。

2. 规模生态因子：高职教育专业群建设逻辑不清晰

高职院校专业群建设是推进高职教育高质量发展的关键举措，是培养高素质技术技能人才的重要载体。高职院校专业群一般涵盖多个专业领域，以提高学生的基础素质为根本，遵循组群逻辑，将学生培养成符合社会发展需求的全面发展的人。其中，院校规模决定了高职院校在专业群建设中的资源投入和人力配置，而专业群建设则是规模化发展的内在要求和目标之一。规模化的高职院校能够提供更丰富的教学资源和更广泛的学科覆盖，也更容易实现专业群建设中的优势互补。但高职专业群建设的初期阶段为求发展，往往会模仿已经取得成功的院校及其组群方式，而这种行为常常会导致趋同效应。笔者在调查高职院校的专业群建设时发现，高职院校专业群中的专业相似性较高，未根据地域发展与需求的特点形成区域特色和优势。同时，相关主体对专业群建设方式与方法认识创新度不足，主要表现为：基层建设单位在确定专业群要素与结构、制定人才培养目标、衔接产业群等方面，仍然受限于现有的知识和经验；尤其是在根据专业群建设需求创新组织结构和管理方式的认知和筹划方面存在不足，未能有效地将专业群的“群”理念运用到实际专业建设工作中，难以培养具备专业技能和实践经验的高素质技术技能人才。

三、高职教育高质量发展的生态位之路

高职教育要想在教育生态系统之林行稳致远，就要在教育系统与社会系统中走出一条生态位平衡之路。该路径应以未来愿景为导向，助推高职教育生态位“态势”回归；以知识资本投入为内核，拓展高职教育生态位“宽度”；以内涵式发展为理念，促进高职教育生态位“分离”，从而推进高职教育高质量发展。

（一）以愿景为导向，助推高职教育生态位“态势”回归

组织愿景中的核心理念和愿景对组织的存在和期望起到关键作用。美国管理学家吉姆·柯林斯（Jim Collins）认为，核心理念定义了组织“为何存在”，未来展望宣布了组织期望“取得什么”。愿景是组织对自身在未来的长远发展方向的明确描述和期望，它不仅是对组织内外环境的综合考量，而且是对组织内部核心价值观和文化的反映。愿景的形成过程中，组织会综合评估自身的态势和势能，并根据变化和变异来调整和确定愿景。因此，高职教育生态位“态势”回归应将高职教育高质量发展的起点落实到高职教育的愿景上，发挥其导向作用。即通过推动社会观念转变和高职教育层次布局结构完善双管齐下，助推高职教育“态势”回归。

首先，开展建设技能型社会的宣传。建议利用新兴媒体和数字化技术创新宣传方式，如制作微电影、短视频或虚拟体验，以吸引年轻人关注，并通过社交媒体广泛传播。这种生动有趣的宣传内容有助于更好地展示高职教育的实际意义和潜力，吸引更多人关注和支持。其次，针对高职教育的多层次适应性，可以建立跨院校、跨领域的教育资源共享平台，促进各类教育机构之间的合作与交流。通过共享优质教育资源和教学经验，不同类型的教育机构可以相互借鉴，合理优化区域教育资源配置，提升教学水平，为学生提供更加多元的学习选择，促进教育高质量发展。最后，在加强区域间协调性方面，可以建立高职教育跨区域合作联

盟，促进资源共享、师资互派和课程互认，推动区域间高职教育资源均衡配置和共同提升；同时，引入跨境教育合作项目，吸引国际教育资源和先进理念，推动高职教育国际化发展，为学生提供更广阔的发展空间和就业机会。

（二）以知识资本投入为内核，拓展高职教育生态位“宽度”

高职教育的愿景直接决定了其生态位宽度。生态位宽度能够约束高职教育可获取资源的幅度，进而形成其独特的“取食生态位”。高职教育的知识资本包括结构资本、关系资本及人力资本。知识资本的投入相较于物质资源具有更为持久和累积的效果，能够为组织带来更长久的回报。因此，在调整高职教育的重叠生态位时，应重视以知识资本为核心的投入，以建立高职教育自身独特的生态位。

首先，构建高职教育系统机制环境，倡导多元化、开放性和创新性的办学理念，鼓励高职院校结合专业建设和区域特点探索办学模式，形成办学特色和发展路径。政府对通过创新教学模式和培养方式取得显著成效的高职院校进行政策激励，从而引导各地高职教育向多元化、富有活力的方向持续发展。其次，在高职教育产教融合方面，除可建立“产教共育”模式外，还可探索建立产、科、教融合的高端实训基地。学校通过与知名企业、高水平科研机构合作，在校内建立符合行业企业标准和技术更新发展需求的高端实训基地，为学生提供更高水平的实践培训和技能提升机会，由此提升学生的实践能力和就业竞争力，促进学校教学资源与产业技术需求的深度融合，实现人才培养的良性循环，推动高职教育向产业和市场需求的紧密结合迈进。最后，建立健全“教学＋实践”双向导师制度，由高职院校教师和企业技术专家组成双向指导团队，共同指导学生进行教学实践和项目设计。以此整合学校和企业的教学资源，培养出更具实践经验和专业知识的“双师型”教师，为高职教育质量的提升提供有力支持。

（三）以内涵式发展为理念，促进高职教育生态位“分离”

与其他高等教育类型发生生态位重叠后，高职教育亟须采取调整措施，实现生态位分离。重叠向分离的生态位调整，是构建高职教育独特生态位的关键所在。我国高职教育所经历的迅速扩张过程，主要采用了外延增长模式，即通过增加投入来实现高职教育产出的增加。因此，构建高职教育独特生态位要避免“穷国办大教育”的模式，不过度追求数量的扩张，减少或避免高职教育资源的浪费。

首先，跨界融合建构课程内容体系。高职院校可以在课程建设中引入“跨界融合式课程设计”理念，打破学科专业壁垒，将不同领域的知识有机结合，打造出具有创新性和前瞻性的课程内容体系。应注意的是，这种跨界融合不仅要考虑学科之间的整合，还应该将行业实际需求与未来技术发展趋势相结合，为学生提供更具前瞻性和实践性的学习体验。其次，营造真实的职业场景和情境，优化课程实施过程。高职院校探索推行“情境化学习”方法，利用虚拟现实、增强现实等技术手段，营造真实的职业场景和情境，让学生身临其境地感受并解决问题，从而培养其解决复杂实践问题的能力。这种情境化学习方式能够激发学生的学习动力和创造力，使他们在实践中更好地掌握关键职业技能。最后，以“类型思维”促进专业群内部成员的思维模式和行为方式的协同与融合。高职院校通过建立协作共赢的群体观念，依托专业群培养学生团队合作精神和创新意识，实现教师、学生和企业等各方的紧密合作。此外，高职院校还应根据不同的知识关系和产业需求，灵活调整专业群结构，确保专业群的独特性和竞争优势，推动高职教育与普通教育的有效分离，实现高质量发展的可持续性。

随着经济结构持续调整和产业结构日渐优化，我国经济将继续保持高增长态势。其中，高职教育肩负培养高质量技术技能人才以支撑经济社会发展和产业变革的重任。我国已建成全球规模最大的职教体系，正积极推进现代化职业教育体系建设，但从职业教育大国迈入职教强国仍面临诸多现实挑战。高职教育自身的分布体现出较强个性，既是职业教育中的高层次教育，又是职业教育高质量发展的支撑力量，不同高职院校的发展路径不能一概而论。未来，高职教育应致力于深入了解自身所处环境和社会发展趋势，确定适合自身发展的方向和愿景，并以此为指引，积累知识资本，使其成为核心资源，走内涵式发展道路。

参考文献

[1] 曾令奇．教育科技人才一体推进职业教育高质量发展：内涵、逻辑与路径 [J]. 职业技术教育，2024，45（34）：6–14.

[2] 陈鹏，陆爽．新时代职业教育理论体系：逻辑起点、理性审视与本土建构 [J]. 当代职业教育，2024（6）：28–37.

[3] 陈正江．构建职业教育现代转型的社会心理支持机制 [J]. 江苏高职教育，2022，22（1）：31–37.

[4] 冯琦琳．高等职业教育可持续发展研究 [M]. 上海：复旦大学出版社，2014.

[5] 韩江萍，曾天山，陆宇正．职业教育贯通培养的实践探索、现实困境与优化策略 [J]. 职业技术教育，2024，45（29）：6–11.

[6] 金正连．职教之声 [M]. 北京：光明日报出版社，2023.

[7] 康宁．中国高等教育资源配置转型程度的趋势研究 [M]. 南京：南京大学出版社，2020.

[8] 李辉，段艳超，翟林香．双元培育模式下高职院校内部质量保证体系研究 [M]. 北京：化学工业出版社，2022.

[9] 李兴洲，刘徐迪．职业教育赋能青年发展的现实困境与优化策略 [J]. 北京青年研究，2024，33（6）：102–108.

[10] 潘思宇，封室伊．“一带一路”倡议下国际化会计人才培养现状及存在的问题研究：以广西民族大学中外合作办学项目会计学专业为例 [J]. 中国总会计师，2024（11）：158–161.

[11] 涂爱荣．新时代文化育人研究 [M]. 北京：九州出版社，2021.

[12] 万卫．职业教育混合所有制改革十年：历程、困境与展望 [J]. 社会科学家，2024（6）：184–189.

[13] 王烨婷．高质量发展背景下高职院校创业教育问题及对策研究 [D]. 济南：山东师范大学，2023.

[14] 王源平，吴庆华．新质生产力引领地方院校高质量发展的核心要义与实践路径 [J]. 贺州学院学报，2024,40（4）：1–7.

[15] 徐莉．新升格高职院校内部治理能力提升研究 [J]. 合作经济与科技，2025（1）：111–113.

[16] 薛敏霞．职业教育的现实困境与突围路径研究：基于个体能动的视角 [J]. 中国人民大学教育学刊，2025（3）1–14.

[17] 张潇予．共绘教育高质量发展新图景 [N]. 云南日报，2024–12–19（005）.

[18] 赵惠莉 . 人工智能时代高职教育高质量发展研究 [J]. 江苏经贸职业技术学院学报，2022（6）：71–74.

[19] 赵骏 . 国际法的守正与创新：以全球治理体系变革的规范需求为视角 [J]. 中国社会科学，2021（5）：26–50，204–205.

[20] 赵熹 . 高职院校产教融合的研究与实践 [M]. 西安：西北大学出版社，2022.

[21] 仲淑秋 . “双高计划”背景下高职院校多元共治路径研究 [J]. 河南农业，2023（12）：13–16.

[22] 周建松 . 高等职业教育高质量发展研究 [M]. 杭州：浙江大学出版社，2020.

[23] 周建松 . 现代职业教育体系建设与高职教育创新发展 [M]. 杭州：浙江工商大学出版社，2017.

[24] 周金堂 . 高等职业教育创新发展的理论与实践探索 [M]. 北京：社会科学文献出版社，2017.